TABLE DES MATIÈRES

RÉSEAUX ATM

CHEZ LE MÊME ÉDITEUR

DES MÊMES AUTEURS

RÉSEAUX HAUT DÉBIT

AUTRES OUVRAGES

J.-P. CLAUDÉ, M. CLAUDÉ
GESTION DES RÉSEAUX INFORMATIQUES

P. GOMEZ, P. BICHON
COMPRENDRE LES RÉSEAUX D'ENTREPRISE

G. PUJOLLE
TÉLÉCOMMUNICATIONS ET RÉSEAUX

G. PUJOLLE, M. SCHWARTZ
RÉSEAUX LOCAUX INFORMATIQUES

S. PIERRE
RÉSEAUX LOCAUX
fondements, implantation et études de cas

D. DROMARD, F. OUZZANI, D. SERET
RÉSEAUX INFORMATIQUES
Cours et exercices
1. De la transmission de données à l'accès au réseau

RÉSEAUX ATM

Marc BOISSEAU **Michel DEMANGE**

Jean-Marie MUNIER

Ingénieurs à la compagnie IBM France

Préface de Jean-Jacques DUBY

LES ÉDITIONS EYROLLES
vous proposent plusieurs services d'informations

---

1 - POUR UNE INFORMATION COMPLÈTE
sur l'ensemble de notre catalogue : **3616 EYROLLES**

2 - POUR RECEVOIR LE CATALOGUE
de la discipline qui vous intéresse :
vous nous écrivez en nous précisant cette discipline et votre adresse

3 - POUR ÊTRE INFORMÉ RÉGULIÈREMENT
sur nos nouvelles parutions :
vous retournez la carte postale que vous trouverez dans ce livre

ÉDITIONS EYROLLES
61, Bld Saint-Germain - 75240 Paris Cedex 05

PRÉFACE

La décennie 90 sera celle de la revanche des télécommunications sur l'informatique. Devenues aussi indispensables que l'informatique au monde moderne, les télécommunications ont pourtant connu des progrès techniques moins rapides : alors que la puissance des ordinateurs doublait régulièrement tous les deux ans, il fallait plus de vingt ans au réseau public commuté pour passer de quelques Kilobits à une centaine de Kilobits par seconde. Mais d'ici à la fin du siècle, la situation va s'inverser : tandis que les progrès de l'informatique sont ralentis par la crise, ceux des télécommunications subissent une extraordinaire accélération, dont l'effet sera une multiplication des performances des réseaux par un facteur de plusieurs centaines, voire milliers, en quelques années. Cette progression spectaculaire s'appuie sur des avancées technologiques décisives dans deux domaines : celui des supports physiques des télécommunications, d'une part - fibres optiques, canaux hertziens ou infrarouges, composants hyperfréquences, hybrides ou optoélectroniques - ; celui des supports logiques, d'autre part - l'architecture et les protocoles nécessaires pour maîtriser de tels débits et y intégrer des flux de caractéristiques aussi différentes que la voix, les données ou la vidéo.

*C'est à explorer ce second domaine que nous invite le livre de Marc Boisseau, Michel Demange et Jean-Marie Munier, en nous décrivant l'aboutissement de quelque dix années de recherches internationales pour mettre au point une solution unique aux problèmes de transmission, de commutation et de multiplexage de flux hétérogènes sur des réseaux à large bande, d'une manière économiquement viable et acceptée mondialement. Cela vaut la peine d'être souligné : l'Europe a joué un rôle prépondérant dans le développement du Mode de Transfert Asynchrone (**ATM** en anglais), depuis les recherches originales du CNET sur le multiplexage temporel* *asynchrone, à travers les projets du programme communautaire RACE, jusqu'aux expérimentations en cours de réseaux ATM nationaux et internationaux en Allemagne, en Espagne, en France, en Italie, au Royaume Uni, en Suède.*

Ce livre explique les différentes composantes de l'ATM - architecture, contrôle des flux, gestion des erreurs, mesure des performances - et décrit comment la technique ATM s'applique à la réalisation de réseaux intégrés à large bande, de réseaux locaux et de commutateurs. Il s'adresse aussi bien au lecteur qui souhaite comprendre rapidement les principes de base qu'à celui qui veut connaître les détails du format des cellules ou l'algorithme de synchronisation. Nourris dans le sérail d'un grand laboratoire de recherches en télécommunications, les auteurs nous expliquent les raisons des décisions techniques des concepteurs de l'ATM, non sans humour parfois, lorsqu'ils nous révèlent que la charge utile de la cellule ATM a 48 octets parce que 48 est la moyenne arithmétique de 64, prôné par les américains, et 32, défendu par les européens... Mais ils n'hésitent pas non plus à nous montrer les problèmes qu'il reste à résoudre, les options parmi lesquelles il faudra faire un choix. Tout cela dans une langue claire où la terminologie anglo-saxonne est strictement limitée aux acronymes : le lecteur attaché à la francophonie leur sera reconnaissant d'avoir pris la peine de traduire, souvent avec bonheur, le jargon technique que bien d'autres auraient laissé en franglais dans le texte.

Pour la première fois depuis longtemps, une norme dans laquelle la part de l'Europe est prépondérante est en passe de s'imposer dans l'industrie mondiale des technologies de l'information et des télécommunications. Il importe maintenant que l'industrie et l'économie européennes soient les premières à bénéficier de l'investissement intellectuel de nos chercheurs, et pour cela que l'ATM diffuse rapidement en France et en Europe, dans l'enseignement supérieur, chez les fabricants, les opérateurs, les utilisateurs. Nul doute que ce livre complet, clair et précis, y contribuera.

Jean-Jacques DUBY

Directeur Scientifique de l'UAP

AVANT-PROPOS

L'**ATM** *(Asynchronous Transfer Mode)* est une technique de commutation, de multiplexage, voire de transmission, qui est une variante de la commutation par paquets en ce qu'elle fait appel à des paquets courts et de taille fixe appelés **cellules**. Dans les commutateurs, le traitement de ces cellules est limité à l'analyse de l'en-tête pour permettre leur acheminement vers les files d'attente appropriées. Les fonctions de contrôle de flux ou de traitement des erreurs ne sont pas effectuées dans le réseau ATM, mais laissées à la charge des applications utilisatrices ou des équipements d'accès.

Ces caractéristiques permettent à l'ATM de répondre raisonnablement aux contraintes de trafics aussi différents que la voix, les images animées ou les données. Ce mode de transfert universel rend possible l'intégration de tous types de services sur un accès unique au réseau. D'abord conçu et sélectionné pour être la solution technique des réseaux publics à large bande, l'ATM est aussi en voie de devenir la technologie des futurs réseaux privés et des réseaux locaux d'établissement.

Le présent ouvrage est organisé en cinq chapitres :

- Le chapitre 1, **Techniques de commutation** (voir page 1), explique les raisons du choix du mode de transfert ATM et les possibilités qui en résultent. La lecture de ce chapitre n'est pas indispensable à la compréhension du reste du livre.

– Le chapitre 2, **Relais de cellules** (voir page 21), développe les fonctions de la couche ATM (routage, multiplexage des cellules), des couches physiques sous-jacentes et des couches d'adaptation aux divers types d'applications (**AAL**, *ATM Adaptation Layers).*

– Le chapitre 3, **Commutateurs ATM** (voir page 69), rappelle les principes des modes conventionnels de commutation et décrit les fonctions d'un commutateur ATM. Il développe les diverses techniques de stockage des cellules ainsi que les types de moyens de commutation.

– Le chapitre 4, **RNIS à large bande** (voir page 83), décrit l'application-cible de la technologie ATM dans les réseaux publics à longue distance. Il en évoque aussi les projets pilotes.

– Le chapitre 5, **ATM et réseaux locaux** (voir page 101), indique comment la technologie ATM peut également s'insérer sans rupture dans les réseaux locaux d'établissement conventionnels.

– L'annexe, **Normalisation d'ATM** (voir page 111), décrit les travaux réalisés par les principaux acteurs opérant dans le domaine de la normalisation.

Les réalisations spécifiques, en termes d'architectures, de systèmes ou de produits, sont en dehors du champ couvert par ce livre.

Le lecteur désireux d'aborder d'autres aspects (hiérarchie numérique synchrone, relais de trames, DQDB, FDDI...) pourra se reporter à **"Réseaux haut débit"**, rédigé par les mêmes auteurs.

CHAPITRE 1

Techniques de commutation

1.1. Perspective historique

Le besoin en technologie de réseau à haut débit résulte des progrès considérables enregistrés dans le monde de l'informatique au cours de la dernière décennie. Ces progrès peuvent se traduire par deux transitions majeures :

– le passage du texte à l'image en matière de visualisation ;

– la distribution de la puissance de traitement et de stockage de l'information.

Ces deux transitions impliquent, pour les réseaux de télécommunication, des débits importants (une image contient au moins dix fois plus d'informations élémentaires qu'un texte), et des délais d'acheminement extrêmement courts, pour ne pas brider la distribution de cette puissance de traitement et de stockage.

Une façon simple d'estimer les besoins en capacité de communication résultant de ces évolutions consiste à corréler deux lois empiriques :

– celle de Joy, qui observe que la puissance de traitement exprimée en millions d'instructions par seconde (MIPS) double tous les deux ans ;

– et celle de Ruge, qui quantifie de 0,3 à 1 Mbit/s la capacité de communication nécessaire à chaque MIPS.

Compte tenu d'une puissance de calcul voisine de 100 MIPS par ordinateur en 1990, les besoins en communication auront décuplé en quelques années pour atteindre une valeur située entre 300 Mbit/s et 1 Gbit/s avant l'an 2000. Même si la capacité moyenne nécessaire est probablement dix fois inférieure, cette valeur excède largement les capacités des réseaux actuels, tant sur le plan local qu'à grande distance.

À ces deux caractéristiques, haut débit et faible délai, il faut en ajouter une troisième : l'unicité de la technologie support, pour des raisons évidentes d'économie d'échelle et de capacité d'intégration. Ces trois critères ont servi d'objectif aux études entreprises au cours de la décennie quatre-vingt.

Toutes supposaient que soient repoussées à la périphérie du réseau les fonctions de contrôle de flux et de traitement des erreurs. Cette hypothèse était fondée sur la grande qualité des artères numériques de transmission, ainsi que sur l'inadéquation, à haut débit, des protocoles fonctionnant tronçon par tronçon.

Par ailleurs, un consensus a rapidement émergé autour de l'idée que l'emploi d'une seule méthode de commutation devait être possible, quelle que soit la nature du flux considéré.

Le relais de trames a été le premier protocole capitalisant sur ces principes. C'est aussi à cette époque que les concepts de ponts relayant les trames **MAC** *(Medium Access Control)* ont émergé pour l'interconnexion de réseaux locaux d'établissement.

Parmi ces travaux on peut citer quelques exemples significatifs : Datakit, Voice/Data fast packet switching d'AT&T, le projet PARIS d'IBM, Prélude du CNET. Tous ces projets utilisaient comme concept de base la commutation par paquets.

Avant de décrire les techniques qui ont amené à la définition du mode de transfert ATM, il est utile de préciser les caractéristiques des deux modes conventionnels de commutation :

- la **commutation de circuits** présente l'avantage d'une totale transparence à l'information ; d'autre part, elle satisfait parfaitement aux exigences de temps réel demandées par des flux de voix ou de vidéo. L'adaptation à des hauts débits semblait donc possible. Cependant, cette technique a l'inconvénient de ne fournir que des circuits à débit prédéterminé (canaux à 64 kbit/s dans le Réseau numérique à intégration de services, par exemple). Il était donc nécessaire de prévoir un ensemble de débits fixes correspondant aux divers services projetés. Une telle prévision est difficile, voire non souhaitable, car un service donné ne correspond pas forcément à un débit particulier, ne serait-ce qu'en raison de l'amélioration, dans le temps, des algorithmes de compression de l'information. Cette voie de recherche a été abandonnée pour son manque de souplesse ;
- la **commutation par paquets**, fondée sur la notion de circuit virtuel, pouvait apporter cette adaptabilité, en permettant l'utilisation efficace des artères de communication. Le relais de trames avait déjà montré qu'il était possible d'alléger les protocoles de communication, il restait à prouver que ce principe de commutation pouvait être utilisé pour d'autres flux que les transmissions de données : en particulier, il fallait montrer qu'une telle méthode permettait d'émuler les caractéristiques d'un circuit.

Deux axes de recherche, décrits ci-après, ont abouti à des conclusions similaires :

– la technique **ATD** *(Asynchronous Time Division)* ;

– le *Fast Packet Switching,* ou technique **FPS.**

1.1.1. Technique ATD

Cette technique utilisait des paquets très courts (de l'ordre de 16 octets) et de taille fixe, avec un en-tête limité à trois octets, véhiculant une étiquette pour un acheminement de type circuit virtuel. La faible taille des paquets assure, comme pour la commutation de circuits, un retard modéré et relativement constant qui permet, par exemple, le transport de signaux vocaux sans adjonction d'annuleurs d'écho.

Cette technique ATD a surtout été promue par des organismes européens (fabricants, opérateurs, projets RACE) dans le cadre d'études et de maquettes basées essentiellement sur le transport de flux isochrones (voix et vidéo). Par ailleurs, ces projets ne faisaient aucune présupposition sur une infrastructure particulière de transmission. En particulier, les recherches du CNET de Lannion avaient pour objet la fourniture de circuits à haut débit pour la communication vidéo dans le domaine résidentiel, ainsi que la transmission de données et de son de haute qualité. Le réseau expérimental Prélude, basé sur une matrice élémentaire de commutation de 16 entrées et 16 sorties à 280 Mbit/s, a permis d'évaluer le bien-fondé de l'approche choisie : un mode paquet approprié peut transporter des trafics de caractéristiques diverses, y compris des flux isochrones.

En Allemagne, les réseaux expérimentaux Bigfon et Berkom étaient basés, du moins dans leur première phase, sur une technique de commutation de circuits. L'unanimité grandissante autour de l'ATD a conduit la Deutsche Bundespost à différer l'implantation de son réseau public à large bande et, en 1988, Siemens a été le premier fabricant à installer, pour Berkom, un commutateur expérimental basé sur ces principes.

1.1.2. Technique FPS

À la même époque, les recherches menées par des organismes comme AT&T Bell Labs, Network Systems, Bellcore, GTE Labs, IBM (réseau expérimental PARIS), avaient principalement pour objet la transmission efficace de données informatiques à très haut débit. Ces études étaient concomitantes avec le développement de la norme **SONET** *(Synchronous Optical NETwork)* pour les réseaux à base de fibres optiques qui commençaient à être déployés aux Etats-Unis.

Le terme de *Fast Packet Switching,* popularisé par J. Turner, recouvre l'essentiel de ces différents travaux. Ces derniers étaient basés sur des paquets courts (100 octets environ) de taille fixe (Bellcore) ou variable (AT&T, IBM). Un en-tête assez important (de l'ordre de 5 octets) comportait, outre l'étiquette, des éléments binaires permettant de distinguer plusieurs niveaux de priorité. Les performances visées nécessitaient de simplifier les protocoles traditionnels rencontrés en commutation par paquets, et de réaliser par des moyens matériels les fonctions de commutation.

1.1.3. Commutation rapide par paquets

Les travaux des deux courants de recherche décrits ci-dessus présentent d'importantes caractéristiques en commun :

- l'accès au réseau supporte tous types de trafics : voix, données, images fixes ou animées ;
- le mode de transfert à l'accès est souple et permet une allocation dynamique de la bande passante selon la demande instantanée du système utilisateur ;
- le multiplexage statistique des liens numériques à haut débit convient bien aux trafics sporadiques. Pour l'utilisateur, il se traduit par des coûts plus faibles, pour le fournisseur de réseau, il permet l'optimisation des liens. Les utilisateurs individuels de

bout en bout ont la possibilité d'utiliser une portion significative, voire l'ensemble de la capacité du lien, pour des périodes de temps limitées ;

- un transfert asynchrone est particulièrement adapté au codage à débit variable. À ce propos, il faut remarquer que, bien que transmises traditionnellement sous forme de flux continus, la voix et la vidéo sont sporadiques par nature. Dans le cas de la voix, un mécanisme de détection d'activité peut permettre de bloquer le codeur quand la source sonore est silencieuse ; la compression du signal vocal pendant les périodes d'activité conduit alors à un débit moyen d'environ 10 kbit/s. De même, une source vidéo est extrêmement sporadique : lorsque les mouvements dans l'image sont faibles, il y a peu de différence entre les images successives ; l'information nouvelle est alors limitée et peut être émise sous forme de paquets à une fréquence faible. Inversement, s'il y a mouvement rapide ou changement complet de l'image, l'information nouvelle augmente considérablement, et la source émet alors une rafale de paquets à une fréquence bien plus élevée. À l'évidence, un tel codage optimise l'utilisation des artères de transmission, sans compliquer le fonctionnement de la source ;
- le mode de transfert est unique. Même les tenants les plus enthousiastes de la commutation de circuits ne parvenaient pas à proposer cette dernière comme seule technique de commutation, et il a existé plusieurs approches hybrides : commutation de circuits pour les flux continus, commutation par paquets pour le trafic sporadique. L'universalité du mode de transfert proposé constitue un avantage de tout premier ordre.

Toutes ces caractéristiques communes étaient reconnues par les adeptes de la commutation par paquets, mais il restait encore bien des questions à résoudre : taille des paquets, fixe ou variable... Par ailleurs, l'utilisation de la commutation de circuits n'était pas exclue. C'est dans le cadre du CCITT que l'essentiel de ces questions a été résolu.

1.1.4. Rôle du CCITT

Dès juin 1985, dans le cadre du Groupe d'étude XVIII du CCITT, était constituée une équipe, *BroadBand Task Group* (**BBTG**), en charge de couvrir les aspects propres à l'interface de l'utilisateur du RNIS à large bande.

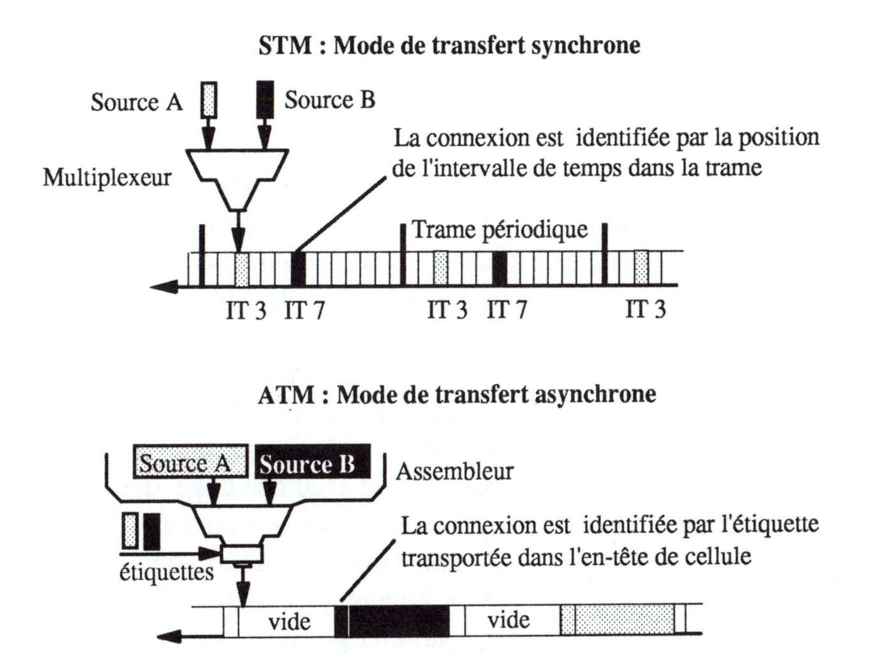

Figure 1.1 - Comparaison des modes de transfert synchrone et asynchrone

Schématiquement, deux propositions, illustrées par la figure 1.1, étaient en présence, en vue d'une normalisation internationale :

- une approche synchrone, nommée **STM** *(Synchronous Transfer Mode)* par le CCITT, basée sur une commutation rapide de circuits. Sur un lien multiplexé, un canal STM est identifié par la position dans une trame des intervalles de temps qui lui sont affectés. Des canaux à débit fixe ont été proposés : ceux du RNIS à bande étroite, et d'autres permettant la transmission de signaux vidéo et de son de haute qualité. Comme, dans le même temps, la norme **SDH** *(Synchronous Digital Hierarchy)* était en cours d'adoption, certains canaux proposés pouvaient être transportés dans la charge utile des futurs systèmes synchrones de transmission. Une interface construite sur une structure de canaux fixes manque cependant de souplesse : elle fige les caractéristiques des services qu'elle véhicule ; ces services peuvent être différents d'un pays à l'autre, d'un client à l'autre, et surtout ils risquent fortement d'évoluer avec le temps ;

– une approche asynchrone, prônée à la fois par les défenseurs de la technique ATD et ceux du *Fast Packet Switching*. Le CCITT l'a nommée **ATM** *(Asynchronous Transfer Mode)*, alors même que la taille des paquets (plus tard appelés cellules) n'était pas arrêtée. L'approche ATM ne nécessite pas un système de transmission tramé, une connexion étant identifiée par l'étiquette *(label)* contenue dans l'en-tête de cellule. Plusieurs connexions peuvent ainsi être multiplexées dans le temps sur un lien qualifié de *"labelled multiplex"*. Un mécanisme d'autocadrage des cellules permet l'utilisation de supports non tramés : on parle alors de systèmes "pur ATM", aujourd'hui qualifiés de "systèmes orientés cellules" (voir page 43). Bien entendu, des flux ATM peuvent aussi être transportés dans la charge utile de systèmes de transmission tramés, en particulier dans les conteneurs SDH (voir page 40).

1.1.5. Le compromis ATM

Le mode de transfert ATM, qui constitue l'aboutissement d'études évoquées ci-dessus, rassemble les avantages des techniques antérieures. La figure 1.2 résume les caractéristiques principales des méthodes classiques de commutation (mode circuit et mode paquet).

Du mode circuit, il reconduit les avantages suivants :

- la charge utile *(payload)* de la cellule est transportée par le réseau de manière totalement **transparente**, comme le sont les huit bits d'un intervalle de temps ;
- cette charge utile a une **longueur fixe**, tout comme l'octet d'un intervalle de temps, ce qui permet de concevoir des commutateurs relativement simples et très performants ;
- la charge utile est **courte** et cette caractéristique autorise l'émulation de circuit tout en garantissant une gigue compatible avec les contraintes imposées pour la transmission de la voix ou des images animées.

Contraintes	**Commutation de circuits** (RNIS)	**Commutation par paquets** (X.25)	**Commutation de cellules** (ATM)
Temps réel	**oui**	non	**oui**
Transparence	**oui**	non	**oui**
Protocole de bout en bout	**oui**	non	**oui**
Débit variable	non	**oui**	**oui**
Multiplexage statistique	non	**oui**	**oui**

Figure 1.2 - Critères de choix pour la commutation de cellules

D'autres avantages découlent du mode paquet :

- la source et le réseau ne sont pas liés par la nécessité d'émettre ou de recevoir une quantité d'information en synchronisme avec une trame et pendant un intervalle de temps affecté à la connexion considérée. L'échange avec le réseau est **asynchrone** et la source seule gère son débit, dans les limites d'un contrat défini en début de communication *(bandwidth on demand)* ;

– afin d'optimiser les liens du réseau, il est possible d'effectuer un **multiplexage statistique** des connexions, sous réserve que la qualité de service requise par chacune d'elles le permette ;

– l'utilisation d'un routage par **étiquette** ouvre le champ à de multiples possibilités, telles que : la diffusion, la constitution de groupes d'utilisateurs, la hiérarchisation du réseau en faisceaux et voies virtuels.

Comme le résume la figure 1.3, l'ATM combine la simplicité de la commutation de circuits et la flexibilité de la commutation par paquets.

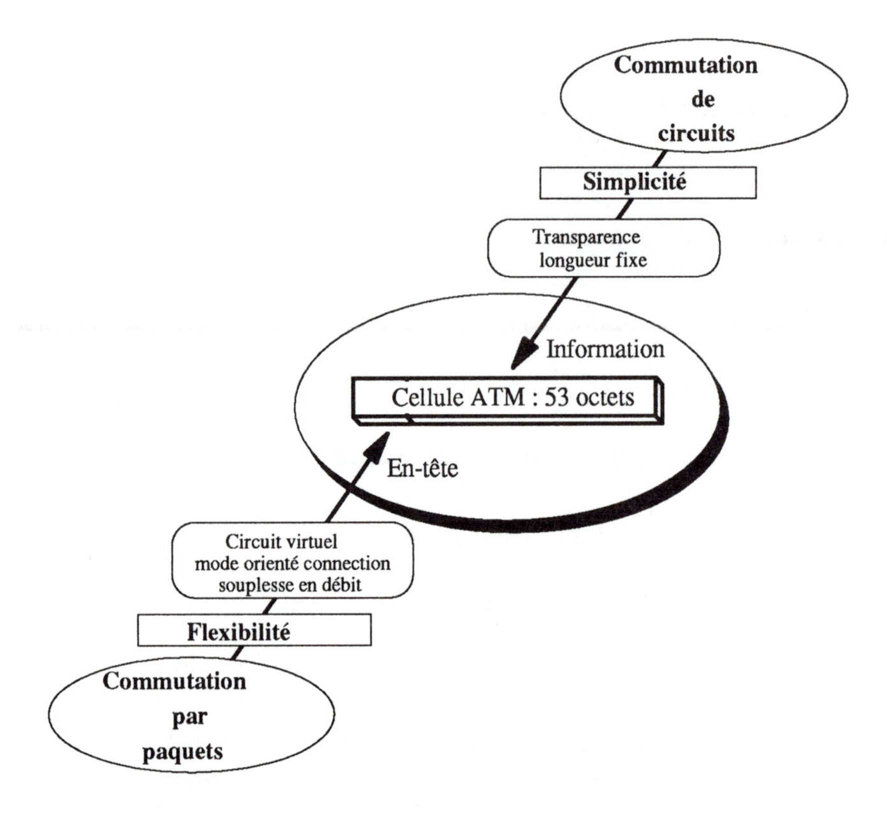

Figure 1.3 - Positionnement du relais de cellules

La taille de 48 octets de la charge utile de la cellule ATM résulte d'un compromis : lors d'une réunion du CCITT à Genève, les représentants des Etats-Unis et de quelques autres pays recommandaient un champ d'information de 64 octets, alors que les pays européens étaient favorables à un champ de 32 octets. En l'absence d'un consensus technique incontestable, la décision de compromis a consisté à choisir la demi-somme des deux propositions en présence.

À ce propos, il faut remarquer que dans le cas de la transmission d'un signal téléphonique numérisé, l'assemblage en cellules conduit à un retard de 6 ms (48 octets émis à un débit de 64 kbit/s), soit l'équivalent du temps de propagation sur une distance de plus de 1 000 km. Dans des pays d'envergure géographique modérée (pays européens, par exemple), ce retard supplémentaire peut entraîner l'installation de systèmes d'annulation d'écho, alors que ces derniers ne sont généralement requis aujourd'hui que pour les connexions internationales.

1.2. Évolution des télécommunications

Si le concept de l'ATM a pu se concrétiser et emporter aussi rapidement le consentement du plus grand nombre, c'est qu'il trouve ses racines au coeur d'une évolution générale de l'environnement des télécommunications. Son choix ne constitue pas un bouleversement, mais bien plutôt une intégration des progrès dans les techniques existantes ; celle-ci doit permettre, à terme, d'unifier le mode de transfert utilisé par l'ensemble des équipements participant au support de la communication (terminaux, réseaux locaux, réseaux à longue distance...).

Le monde des télécommunications évolue sans cesse, chaque nouvelle technique capitalisant, en général, sur les précédentes. Ainsi, la hiérarchie des multiplex numériques est inspirée de celle du multiplexage par répartition en fréquence, et la technique du relais de trames est une amélioration de la commutation par paquets ; de même, le RNIS à bande étroite est en quelque sorte la normalisation aboutie d'une infrastructure téléphonique qui n'a pas cessé de se moderniser.

La croissance de la demande dans le domaine des communications professionnelles a débouché sur deux types de réseaux :

– les réseaux publics dédiés (X.25, par exemple) ;

– les réseaux privés d'entreprise, construits sur des liaisons spécialisées.

Cette logique conduit à disposer d'un réseau par service dans le domaine public, et d'un par application dans le domaine privé, ce qui entraîne un manque évident d'économie d'échelle. La disponibilité d'une technologie de réseau à vocation multiservice ne peut être accueillie que favorablement, tant dans le domaine public que dans le privé.

1.2.1. Apports technologiques

L'introduction de la **fibre optique** dans l'infrastructure des réseaux publics et privés se généralise. Elle permet à des stations de travail interconnectées de fonctionner à distance avec des temps de réponse très faibles, aux mêmes débits et avec la même qualité que sur un canal d'ordinateur.

Cela induit un basculement dans les rôles respectifs du réseau et de l'ordinateur. La communication entre unités de traitement a longtemps été limitée par des réseaux n'offrant que des débits relativement faibles. Avec la fibre optique, le réseau offre une bande passante égale, voire supérieure à celle des bus internes des processeurs ou des canaux d'entrée-sortie. L'ordinateur et ses périphériques ne sont plus confinés à la seule salle machine, l'ère du traitement distribué et du modèle client-serveur est ouverte...

Si la bande passante rendue disponible par la présence de fibres optiques est importante, elle n'est cependant pas infinie et elle aura toujours un coût relativement important dès que des distances importantes seront mises en jeu. Par ailleurs, les besoins en bande passante ne cessent d'augmenter, compte tenu, entre autres, de l'amélioration croissante de la qualité demandée pour les équipements terminaux (taille d'écran, nombre de points par image, nombre de couleurs...) et de l'introduction d'images animées. Pour toutes ces raisons, des techniques de compression de l'information sont nécessaires.

Un autre aspect important réside dans la généralisation des **techniques numériques**, dans le monde du transport comme dans celui du traitement et du stockage de l'information. Associées aux avances technologiques dans le domaine des circuits intégrés à très haute densité, des mémoires et des processeurs de signaux, ces techniques permettent de réaliser des progrès importants, en termes de fonctions et de coût.

C'est ainsi que ces techniques numériques rendent maintenant possible une **commutation rapide par paquets**, réalisée par des composants matériels, sous réserve qu'elle soit assez simple et ne prenne en compte que peu d'options. Si les protocoles associés sont réduits, les fonctions plus complexes (segmentation, traitement des erreurs, contrôle de flux...) sont alors repoussées vers les équipements terminaux, dont les possibilités de traitement à faible coût sont considérables.

Les techniques de visualisation dérivées des procédés télévisuels pénètrent de plus en plus le domaine des stations de travail : précédemment limitées à gérer du texte, des feuilles de calcul électroniques ou des images fixes, ces dernières permettent petit à petit la communication multimédia (conversation face à face par l'intermédiaire de fenêtres d'écran vidéo, son, texte, transfert de données...). Il convient de noter que les progrès en matière de compression permettent aujourd'hui de limiter à 30 Mbit/s le débit nécessaire pour un signal vidéo de type télévision à haute définition, et à 1,5 Mbit/s pour des images animées de qualité VHS.

1.2.2. Applications projetées

Le réseau de demain devra supporter les applications que nous connaissons aujourd'hui, celles que nous projetons, mais encore plus celles que nous n'imaginons même pas. Comme l'indique la figure 1.4, son mode de commutation devra s'accommoder d'une grande variété de débits (de quelques kbit/s à plusieurs Mbit/s), de flux constants ou sporadiques, de différentes qualités de service (plus ou moins sensibles aux variations de délais ou au taux d'erreurs).

Dans le monde des affaires, l'on vise essentiellement à donner à tous les utilisateurs les mêmes possibilités de communications, quelle que soit leur situation géographique. Des applications limitées aujourd'hui aux réseaux locaux d'établissement peuvent ainsi devenir disponibles à longue distance : transferts de données à haut débit, applications graphiques, conception assistée par ordinateur... L'accès rapide à des bases de données ou à des serveurs distants permet le traitement distribué. En quelque sorte, c'est le réseau, avec ses serveurs disséminés, qui devient l'ordinateur de l'entreprise, ce qui amène aussi des contraintes de temps de réponse et de qualité de service.

Dans le domaine des applications professionnelles, des besoins spécifiques existent et attendent le déploiement de réseaux appropriés pour devenir pleinement accessibles à longue distance : imagerie médicale avec possibilité d'annotations instantanées, téléconférence avec images animées, édition et formation à distance...

On peut remarquer que la plupart des projets pilotes (projets européens RACE, par exemple) ont pour objet des applications professionnelles.

Dans le domaine résidentiel, les applications visées relèvent principalement du divertissement : entre autres, l'image télévisuelle de haute qualité, mais aussi la télévision à la demande. Ainsi, pour cette dernière application, des moyens de consulter une liste de films doivent être fournis et permettront également d'effectuer à distance les opérations classiques d'un magnétoscope local. Dans les années 1980 à 1985, il était courant de penser que le principal moteur commercial du succès d'un réseau à large bande serait le divertissement pour le marché résidentiel. Diverses difficultés, telles que l'installation de fibres optiques dans le réseau de distribution pour atteindre les résidences, la concurrence d'autres technologies comme le câble ou les satellites, relèguent cette perspective vers les années 2000.

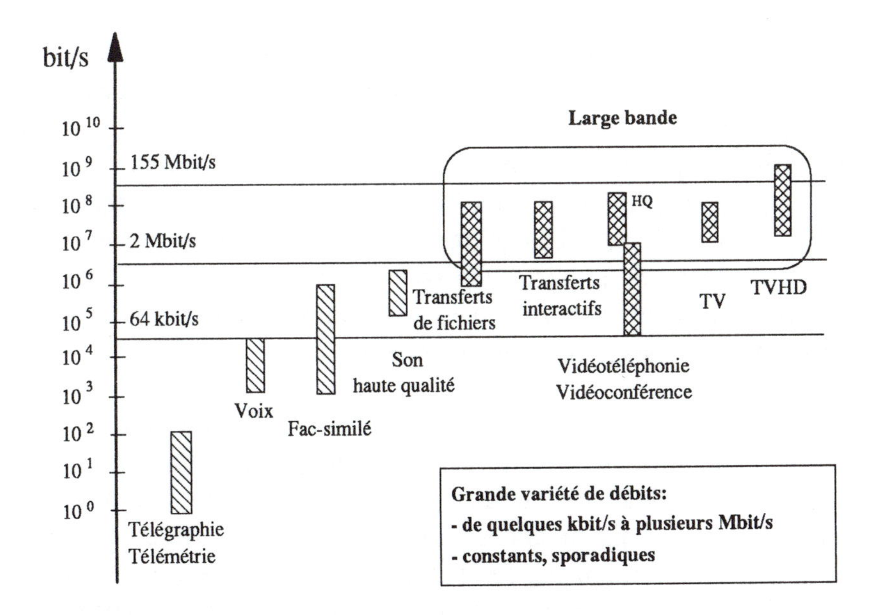

Figure 1.4 - Variété des débits à transporter en fonction des applications

C'est ce qui explique que, dans un environnement concurrentiel en évolution et dans l'obligation de trouver de nouveaux revenus, les opérateurs visent en premier lieu le marché professionnel, principalement l'interconnexion des réseaux locaux d'établissement. Paradoxalement, la mise en place d'un réseau à haut débit fondé sur la commutation rapide par paquets rejette la valeur ajoutée à la périphérie de ce réseau, dans les terminaux qui lui sont connectés, ce qui ne contribue pas nécessairement à son déploiement rapide.

Pour toutes les applications envisagées, aussi bien dans le domaine professionnel que résidentiel, la présence d'artères numériques à grande capacité est nécessaire, tant pour soutenir le **débit important** généré par les sources d'information que pour garantir un **temps de réponse** satisfaisant.

1.2.3. Services existants

Les services actuels, basés sur des techniques de commutation de circuits ou par paquets, mettent en général en oeuvre des réseaux dédiés et conviennent bien aux applications traditionnelles. Cependant, ils ne satisfont qu'imparfaitement les applications nouvelles indiquées ci-dessus, parce qu'elles sont multiservice et génèrent des débits importants et sporadiques. Les entreprises qui doivent mettre en place aujourd'hui de telles applications sont amenées à créer des réseaux privés, dont l'ossature est constituée de liaisons spécialisées à 2,048 ou 34,368 Mbit/s louées auprès des opérateurs.

À terme, les opérateurs publics souhaitent fournir des services commutés à haut débit. Ces derniers sont rendus possibles grâce aux progrès technologiques mentionnés plus haut : la numérisation de bout en bout du réseau qui amène un très faible taux d'erreurs en ligne, grâce à l'utilisation intensive de la fibre optique sur les grandes artères nationales et internationales. De plus, la normalisation favorise une production massive de circuits à grande intégration et permet de disposer, à un coût acceptable, de technologies très performantes pour la commutation et le traitement du signal.

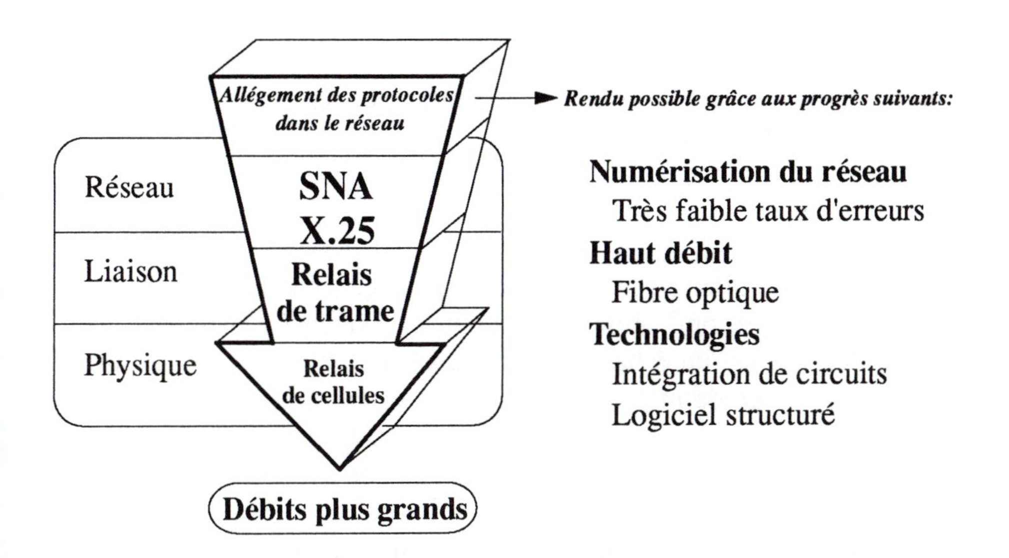

Figure 1.5 - Évolution des technologies de transport de l'information

Pour tirer avantage des ces progrès technologiques, il est nécessaire de revoir l'architecture des protocoles de communication. En particulier, la diminution significative du taux d'erreurs des systèmes de transmission permet d'alléger ces protocoles dans les noeuds du réseau, lesquels peuvent être simplifiés pour supporter des débits plus élevés (voir figure 1.5).

1.2.4. Contraintes à satisfaire

L'objectif étant de définir un mode de transfert unique, encore faut-il qu'il puisse satisfaire toutes les contraintes imposées par les applications décrites ci-dessus. Il n'est pas possible d'établir une hiérarchie parmi ces contraintes ; elles sont toutes aussi critiques les unes que les autres, et leur importance relative n'est liée qu'à l'application.

Ainsi, les applications multimédias présentent des contraintes nombreuses et non nécessairement indépendantes (par exemple, l'image et le son associé doivent être transportés avec des caractéristiques proches). De plus, ces contraintes peuvent changer au cours d'une même connexion.

a) Temps réel

La transmission de la voix constitue, avec la vidéo, l'exemple le plus commun d'application présentant des exigences de temps réel : toutes les 125 µs, un échantillon du signal sonore est émis sous forme d'un octet, et ce dernier doit être restitué en réception avec la même régularité, quels que soient les aléas de la transmission. La technique de commutation de circuits fournit, de façon classique, un service isochrone qui répond à de telles exigences. Néanmoins, une **émulation de circuit** est concevable par une technique de type paquet, sous réserve que le retard global et ses variations soient limités : l'utilisation de paquets courts et de taille fixe est favorable à une telle approche.

Les réseaux locaux d'établissement conventionnels (bus à contention, anneaux à jeton, réseaux **FDDI**, *Fiber Distributed Data Interface)* ne garantissent pas les caractéristiques de temps réel requises, surtout en cas de forte charge du réseau. Étendant les fonctions du protocole FDDI, FDDI-II répond à de telles demandes par réservation de canaux (**WBC**, *WideBand Channels)* utilisables pour le trafic isochrone. Des améliorations d'autres réseaux locaux sont également à l'étude (réseau Ethernet à 100 Mbit/s, par exemple).

b) Débit

Un réseau multiservice doit supporter une grande variété de débits ; de plus, ces derniers peuvent être très sporadiques *(bursty)* ou non symétriques. D'autre part, il n'est pas possible de relier une fois pour toutes les caractéristiques d'un service donné et le débit correspondant : ce dernier évolue dans le temps, compte tenu des progrès réalisés dans le domaine des algorithmes de compression, et grâce à la disponibilité de processeurs de signaux très performants. Enfin, il est hasardeux de prédire les caractéristiques des services futurs. La souplesse d'adaptation à toutes sortes de débits est donc nécessaire à un réseau multiservice, afin d'en assurer la pérennité.

c) Qualité de service

La qualité de service requise varie selon les applications, certaines d'entre elles étant plus tolérantes que d'autres vis-à-vis des perturbations subies par l'information. Un mode de transfert commun doit ainsi s'accommoder raisonnablement de cette variété : "raisonnablement" signifie qu'un service unique ne peut pas être parfait ; il est nécessaire d'insérer une fonction d'adaptation proche de l'application et capable de compenser les imperfections du réseau.

L'ATM, défini par le CCITT, a d'abord été soutenu par les opérateurs de réseaux publics et leurs fournisseurs traditionnels, en tant que technique cible du futur RNIS à large bande. Mais, aux environs de l'année 1991, l'ATM a attiré l'attention des fabricants de produits d'interconnexion (concentrateurs, ponts, routeurs) et de commutateurs de paquets utilisés dans les réseaux privés, ainsi que, plus récemment, des constructeurs de stations de travail ou d'ordinateurs personnels et enfin, des éditeurs de logiciels.

Il est ainsi probable que les premiers produits ATM seront présents dans le domaine privé, en complément des techniques traditionnelles des réseaux locaux d'établissement, voire en concurrence de certaines d'entre elles.

À plus long terme, il est concevable que ce mode de transfert puisse être utilisé de bout en bout entre deux stations de travail reliées par des réseaux locaux ou des commutateurs privés ATM, eux-mêmes interconnectés par un réseau public ATM à large bande.

Dans le chapitre suivant sont présentées les caractéristiques techniques de l'ATM, telles qu'elles sont décrites dans les Avis du CCITT, mais aussi dans des documents approuvés et édités par le Forum ATM (voir page 103), rassemblement de constructeurs créé en 1991 et qui compte à ce jour plus de 300 représentants.

CHAPITRE 2

Relais de cellules

2.1. Principes

L'ATM est à la fois une technique de commutation et de multiplexage, voire de transmission. Il constitue une variante de la commutation par paquets, en ce qu'il ne met en jeu que des paquets courts et de longueur fixe appelés **cellules**. Le traitement d'une cellule par un commutateur ATM se limite à l'analyse d'une étiquette (partie de l'en-tête, similaire à un numéro de voie logique), de façon à acheminer cette cellule vers la file d'attente de sortie appropriée. Les fonctions plus complexes, telles que le traitement des erreurs ou le contrôle de flux, ne sont pas effectuées dans le réseau ATM, mais laissées à la charge des systèmes utilisateurs.

Ces particularités fournissent une solution raisonnable aux contraintes simultanées de trafics aussi divergents que la voix, les images animées, ou tout type de données. Sa souplesse permet au mode de transfert ATM d'intégrer à terme tous services sur un accès commun à un réseau unique.

La commutation de cellules s'insère entre les fonctions de transmission et celles qui concernent l'adaptation aux caractéristiques des flux d'information transportés par ces cellules. Cela conduit à un modèle architectural à trois couches (voir figure 2.6) :

– la couche **ATM**, en charge du multiplexage et de la commutation des cellules ;

– la couche physique, qui assure l'adaptation à l'environnement de transmission ;

– la couche **AAL** *(ATM Adaptation Layer)*, qui adapte les flux d'information à la structure des cellules.

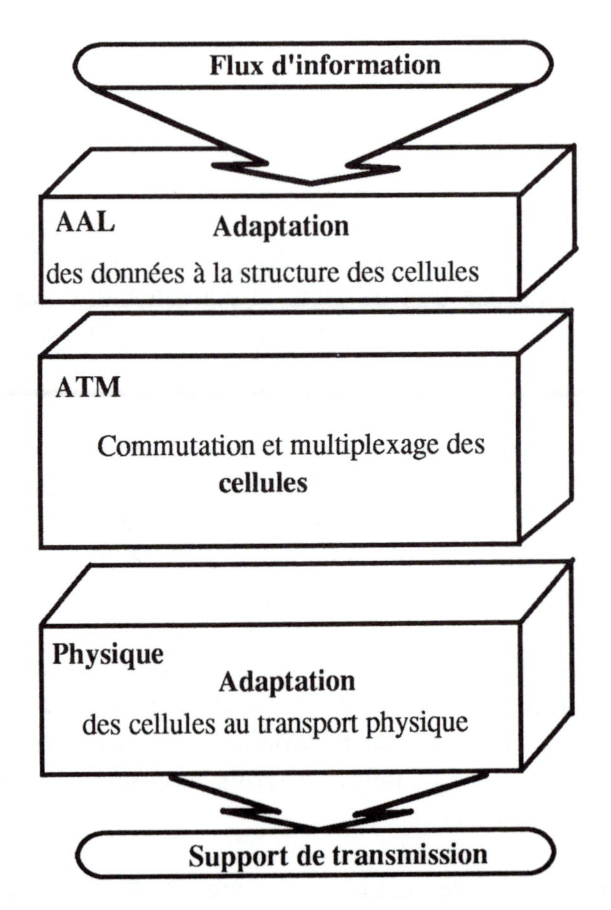

Figure 2.6 - Modèle architectural pour le relais de cellules

Ces trois couches vont être abordées en partant du centre (la cellule), puis s'étendre à l'environnement de transmission, et finir par l'adaptation aux flux d'information.

Il convient de noter qu'en plus de la technologie ATM, le relais de cellules est également exploité par la technologie **DQDB** *(Distributed Queue Dual Bus)*, retenue par l'IEEE comme technique de transfert d'information et d'accès au support pour les réseaux métropolitains.

2.2. Fonctions de la couche ATM

La cellule a une longueur de 53 octets et contient deux champs principaux (voir figure 2.7) :

- l'en-tête (5 octets), dont le rôle principal est d'identifier les cellules appartenant à une même connexion et d'en permettre l'acheminement ;
- le champ d'information (48 octets), correspondant à la charge utile.

Les cellules utilisées à l'accès à large bande de l'abonné (**UNI**, *User Network Interface)* ont un en-tête légèrement différent de celui des cellules utilisées à l'interface entre réseaux (**NNI**, *Network Node Interface)*.

L'en-tête de la cellule ATM utilisée à l'interface entre l'usager et le réseau (cellule UNI) comporte les champs suivants :

- un champ de contrôle de flux (**GFC**, *Generic Flow Control)* en charge de régler les priorités et les contentions d'accès entre plusieurs terminaux (configuration dite **point-à-multipoint**, voir page 94). Le protocole associé à ce champ est en cours de normalisation. Ce champ est mis à zéro pour la configuration dite **point-à-point** ;

– trois octets utilisés pour l'identificateur logique (VPI et VCI, voir page 25) ;

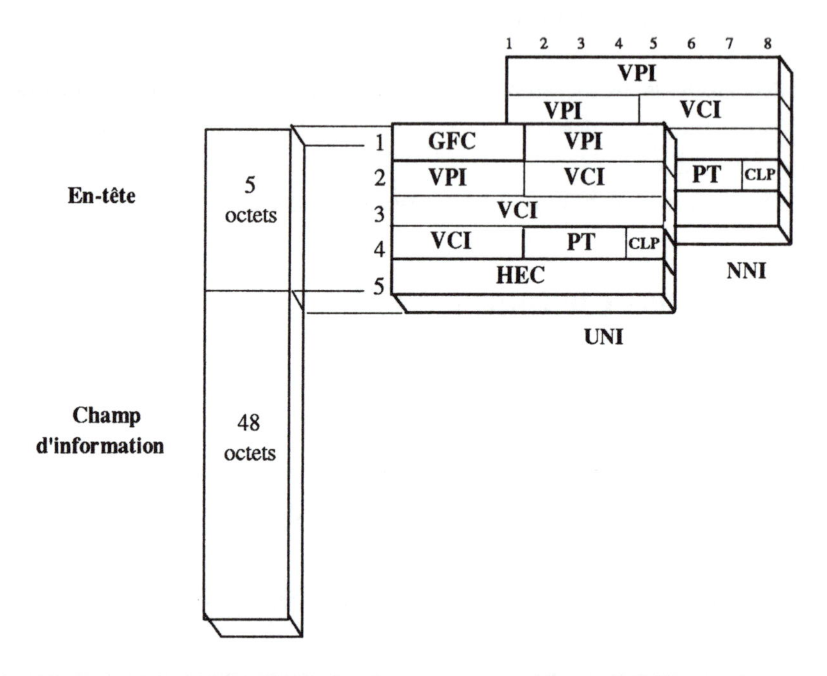

Figure 2.7 - Structure de la cellule ATM

– trois bits (**PTI**, *Payload Type Identification)* consacrés à la description du type de la charge utile (information d'utilisateur ou message de service du réseau, voir figure 2.8). Dans le premier cas, les deux derniers bits fournissent une indication de congestion, ainsi que le type d'unité de données, dont l'interprétation dépend des couches supérieures. Ce type est transmis entre la couche ATM et la couche d'adaptation (AAL), et peut être vu comme une extension des fonctions d'adaptation : il est utilisé par l'AAL type 5 pour indiquer la dernière cellule d'une opération de segmentation (voir page 59) ;

– un bit de préférence à l'écartement (**CLP**, *Cell Loss Priority)* dont le rôle est précisé page 29 ;

– un octet pour la détection des erreurs et la correction d'une erreur simple portant sur l'en-tête (**HEC**, *Header Error Control)*. La gestion de cet octet, décrite page 35, est du ressort de la couche physique.

	Type de flux	Indication de congestion	Type d'unité de données
000	**0** Utilisateur	**0** pas de congestion	**0** unité de type 0
001	**0** Utilisateur	**0** pas de congestion	**1** unité de type 1
010	**0** Utilisateur	**1** congestion rencontrée	**0** unité de type 0
011	**0** Utilisateur	**1** congestion rencontrée	**1** unité de type 1
100	**1** Réseau	**0** Maintenance (segment par segment)	
101	**1** Réseau	**0** Maintenance (de bout en bout)	
110	**1** Réseau	**1** Gestion des ressources du réseau	
111	**1** Réseau	**1** Réservé	

Figure 2.8 - Codage du type de charge utile (PTI)

L'en-tête de la cellule ATM utilisée entre réseaux (cellule NNI) ne diffère de la précédente que par l'absence du champ GFC. Les bits correspondants permettent l'extension du champ d'identificateur logique.

2.2.1. Principe du routage des cellules

Le service ATM étant orienté connexion, des tables de routage sont nécessaires dans les commutateurs du réseau. Chaque cellule est placée sur sa route par les commutateurs intermédiaires, qui associent son identificateur à une destination, comme l'illustre la figure 2.9.

Comme dans le cas de la commutation par paquets ou du relais de trames, l'identificateur logique n'a qu'une signification locale. Il est ici composé de deux champs (voir figure 2.7 page 24) :

- un identificateur de groupe, ou **faisceau virtuel** (**VPI**, *Virtual Path Identifier*) : sa taille est de 8 bits pour une cellule UNI et de 12 bits pour une cellule NNI ;
- un identificateur d'élément dans le groupe, ou **voie virtuelle** (**VCI**, *Virtual Channel Identifier*), dont la taille est de 16 bits.

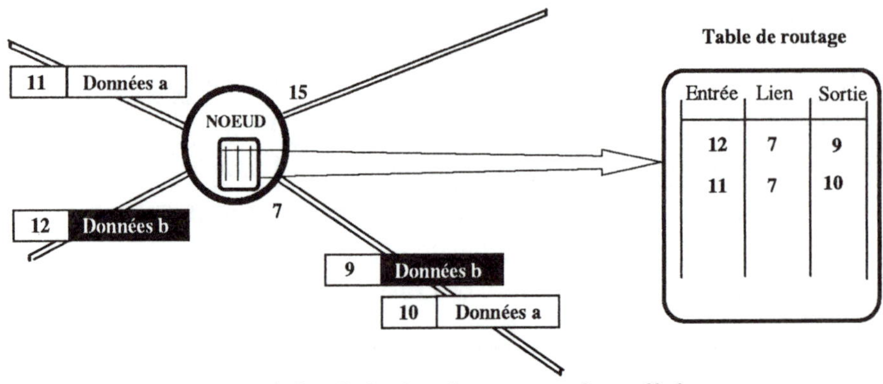

Figure 2.9 - Principe de routage des cellules

L'ensemble constitué d'un faisceau virtuel (VPI) et d'une voie virtuelle (VCI) est équivalent à un circuit virtuel de la commutation par paquets ou à une **liaison virtuelle** du relais de trames. La notion de faisceau virtuel permet au gestionnaire du réseau d'organiser et de gérer ses ressources de transmission par des liaisons virtuelles permanentes ou semi-permanentes.

Comme l'indique la figure 2.10, une route est formée de deux types de connexions : **connexion de voie virtuelle** et **connexion de faisceau virtuel**. Chaque connexion est constituée par la concaténation de voies et de faisceaux virtuels. La hiérarchisation des identificateurs (VPI, VCI) permet de développer deux types de commutateurs :

- les commutateurs ATM de faisceaux virtuels, généralement appelés **brasseurs ATM** *(ATM Digital Cross Connects* ou *ATM*

DCC), qui n'utilisent que l'identificateur de faisceau virtuel (VPI) pour faire progresser l'information le long d'une route. Ils sont contrôlés par les organes de gestion du réseau ;

– les commutateurs ATM de voies virtuelles, qui prennent en compte les deux identificateurs (VPI et VCI). Il s'agit surtout de commutateurs de rattachement contrôlés appel par appel par les mécanismes de traitement d'appel.

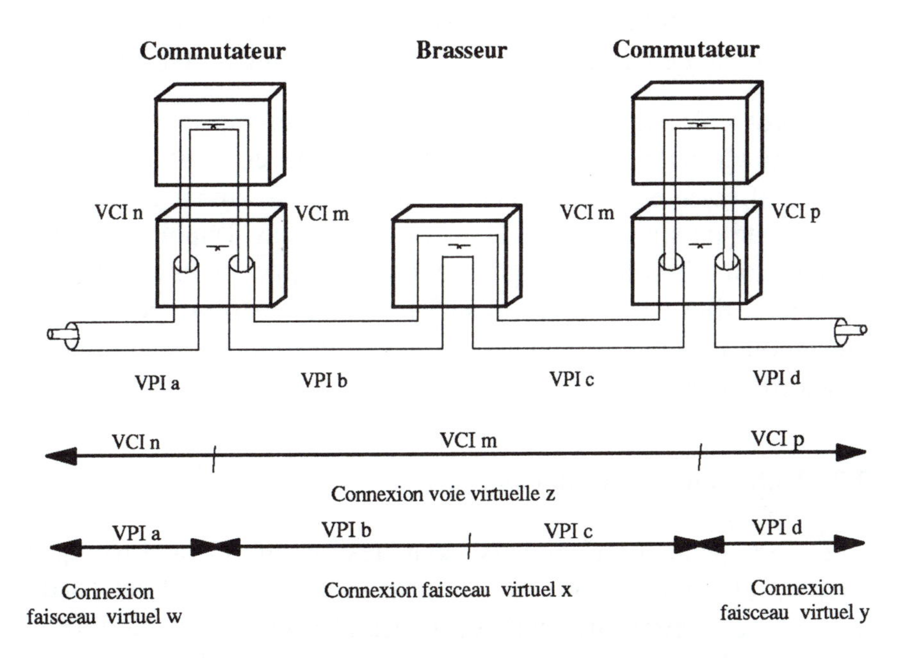

Figure 2.10 - Le double routage du relais de cellules

Un brasseur de faisceaux virtuels permet d'acheminer en bloc toutes les voies virtuelles appartenant à un même faisceau. De tels brasseurs peuvent être utilisés notamment pour configurer des réseaux de liaisons spécialisées, fournir des routes de secours, constituer l'interconnexion de noeuds de commutation pour un service sans connexion...

Les cellules sont affectées à une connexion en fonction de l'activité de la source et des disponibilités du réseau. Il existe deux modes d'affectation des connexions :

- l'affectation permanente ou **connexion virtuelle permanente**, résultant d'un contrat de service entre l'opérateur du réseau et l'utilisateur ;
- l'affectation sur demande, appel par appel, ou **connexion virtuelle commutée**, nécessitant un protocole de signalisation entre le terminal de l'utilisateur et son commutateur de rattachement.

Ce protocole de signalisation est lui-même transporté sur une connexion virtuelle distincte qui, comme toute connexion virtuelle, peut être affectée en permanence ou sur demande (appel par appel) à cette activité de signalisation. Dans ce dernier cas, l'établissement de la connexion virtuelle de signalisation fait appel à une procédure particulière, dite de **métasignalisation**. Les protocoles nécessaires à l'affectation sur demande, appel par appel, des connexions virtuelles sont abordés page 95.

2.2.2. Protection contre la congestion

Les équipements terminaux sont responsables du flux qu'ils génèrent, selon un contrat entre l'utilisateur et le réseau. Pour chaque connexion, ce **contrat de trafic** décrit les caractéristiques du trafic de la source, telles que : son débit moyen, son débit maximal, le type et la durée de ses rafales *(burstiness)*. Il définit aussi les attributs de la qualité du service associés à cette connexion, en particulier : la probabilité de perte de cellules, le délai et la gigue de cellules. Ces caractéristiques peuvent être formulées à la souscription ou négociées appel par appel, ce qui nécessite une procédure de signalisation (voir page 92).

Le bit de préférence à l'écartement (CLP), présent dans l'en-tête de chaque cellule, intervient dans les mécanismes de protection contre la congestion. Généralement, le contrôle de ce bit est sous la responsabilité de la source qui détermine pour chaque cellule l'importance relative de l'information transportée.

Un exemple d'utilisation possible a trait au codage en couches *(multirate)* de la vidéo à débit variable : le bit CLP est mis à 1 dans les cellules transportant des informations de moindre importance. En cas de congestion du réseau, elles sont rejetées en priorité, entraînant une dégradation de la qualité de l'image, ce qui est moins pénalisant qu'une interruption de la transmission.

La protection contre la congestion fait appel à une suite de mécanismes qui sont mis en jeu à différentes phases de l'utilisation d'une connexion :

a) Contrôle d'admission

La première mesure préventive consiste en un **contrôle d'admission** des nouvelles connexions. Compte tenu des caractéristiques du trafic offert (illustrées par la figure 2.11), le réseau doit s'assurer qu'il dispose des ressources nécessaires pour garantir la qualité de service demandée par l'utilisateur et réserver alors ces ressources pour toute la durée de la connexion :

– si la qualité de service requise est très exigeante, la bande passante à réserver doit correspondre au débit maximal (**M**) de la source, aussi appelé **débit crête**. De cette manière, le réseau pourra assurer l'acheminement de toutes les rafales d'information à leur destination avec un délai garanti et une probabilité quasi nulle de perte de cellules ;

- pour une qualité de service plus tolérante, en termes de variation de délai et de perte d'information, le réseau peut tenir compte d'effets statistiques et ne réserver pour cette nouvelle connexion que la bande passante correspondant au **débit projeté** *(sustainable rate)*. Ce débit (**P**) se situe entre le débit moyen (**m**) et le débit maximal (**M**) de la source, et il est d'autant plus proche du débit maximal que le trafic sporadique présente des rafales de longue durée.

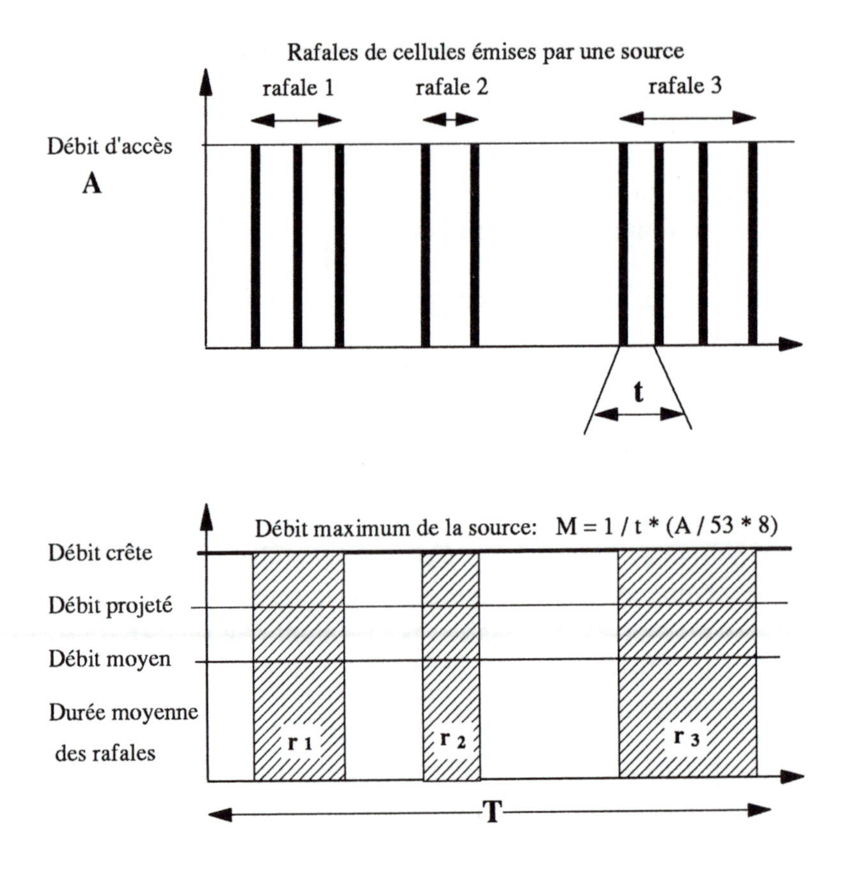

Figure 2.11 - Caractéristiques du débit d'une source de trafic

b) Espacement et contrôle de débit

Une fois la connexion établie, la source met en oeuvre un mécanisme d'espacement *(source shaping)* dans l'émission de son information, de façon à respecter son contrat d'accès.

Il faut remarquer en effet que, dans le cas d'un accès à un réseau utilisant le mode circuit, encore appelé **STM**, la source ne peut utiliser que le débit correspondant aux intervalles de temps affectés lors de l'établissement de la connexion ; le réseau ne prend en compte que les informations contenues dans ces mêmes intervalles de temps, et le débit accepté est ainsi **calibré** par construction. Au contraire, sur un accès à un réseau utilisant le mode de transfert ATM, rien n'empêche la source d'offrir, sur la voie virtuelle qui lui a été affectée, un trafic supérieur à son contrat, par malveillance ou par suite d'une défaillance d'équipement ; le réseau doit donc effectuer lui-même le **calibrage**, en contrôlant, voire en régulant le débit offert sur une voie virtuelle par rapport au contrat. Il est essentiel pour le réseau de se protéger contre de telles situations, sans quoi il ne pourrait plus garantir la qualité de service offerte aux connexions établies, par suite de débordement des files d'attente dans les commutateurs.

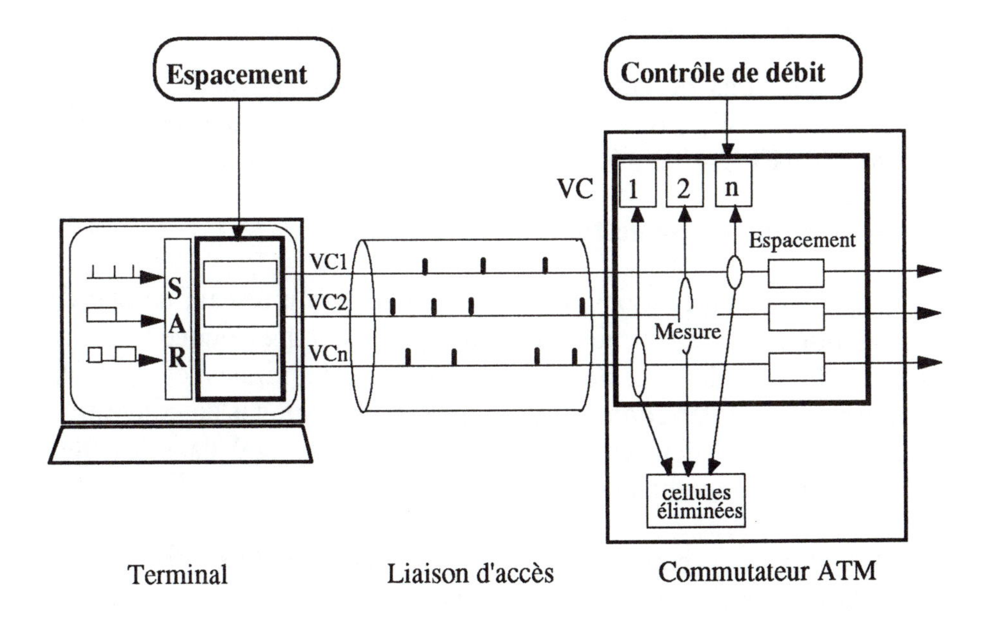

Figure 2.12 - Espacement et contrôle de débit

Un **contrôle de débit** *(rate policing)* est donc mis en place à l'accès du réseau. Il sort du cadre de ce livre de détailler ces mécanismes de contrôle, qui sont complexes et font encore l'objet de discussions. Pour chaque connexion, ils combinent les fonctions suivantes :

– une **mesure** du débit offert, qui utilise habituellement des algorithmes de type "seau percé" *(leaky bucket)* dont les paramètres dépendent de la qualité de service associée à la connexion ;

– un **contrôle**, qui permet d'éliminer les cellules en excès par rapport au contrat, ou de les déclasser d'un niveau de priorité. Cette dernière méthode porte le nom de *violation tagging* ;

– un **espacement** *(spacing)* effectué sur les cellules, avant leur injection dans le réseau, qui dépend de la bande passante réservée pour la connexion considérée (voir figure 2.12).

Ces fonctions de contrôle s'exercent séparément sur les cellules prioritaires (CLP = 0) et sur l'ensemble des cellules relatives à cette connexion (CLP = 0 et CLP = 1).

c) Notification de congestion

Malgré ces précautions prises aux frontières du réseau, un état de congestion peut survenir temporairement dans un quelconque commutateur, du fait de l'accumulation statistique de rafales de cellules correspondant à des connexions différentes. Un tel état de congestion est généralement détecté par un dépassement de seuil dans les files d'attente du commutateur.

Un indicateur explicite de congestion en aval (**EFCN**, *Explicit Forward Congestion Notification)* peut alors être activé dans les cellules qui ont traversé ce commutateur en état de congestion. Cette indication de congestion est fournie par le deuxième bit du champ PTI de l'en-tête de cellule (voir page 24). Compte tenu des débits projetés dans les réseaux à haut débit comme le RNIS à large bande (voir page 83), l'efficacité d'un tel mécanisme n'est pas prouvée. Le temps de propagation entre source et récepteur est très important, en comparaison du temps nécessaire pour transmettre une cellule (2,73 µs pour un débit d'accès de 155,520 Mbit/s, soit l'équivalent d'une propagation sur 500 m de câble), et de très nombreuses cellules peuvent être émises avant la réception de la notification de congestion ; de plus, l'engorgement peut alors avoir disparu. On peut noter par ailleurs que, contrairement au relais de trames, il n'existe pas de possibilité d'indiquer explicitement la congestion en amont.

d) Écartement

Si l'état de congestion persiste ou empire, le seul recours restant au réseau consiste à éliminer des cellules. Cette opération est réalisée en deux étapes : à partir d'un certain seuil d'engorgement, seules les cellules dont le bit CLP = 1 autorise le rejet sont détruites par le commutateur qui constate cet engorgement ; au-delà d'un autre seuil, toutes les cellules en excès sont éliminées.

2.2.3. Multiplexage des flux d'information

Le relais de cellules est non seulement une technique de commutation, mais aussi une technique de multiplexage.

Les cellules sont générées à la demande, en fonction du débit de la source. Les informations sont préalablement ajustées à la taille de la charge utile, et l'en-tête propre à la connexion y est ajouté. Cette génération de cellules n'est dictée que par le débit propre de la source, sans être liée aux caractéristiques du moyen de transmission sous-jacent (débit, motif éventuel de cadrage...). C'est pourquoi cette technologie porte le nom de **transfert asynchrone**, par opposition à la commutation et au multiplexage de circuits : dans ce dernier mode (transfert synchrone), la source doit, dans chaque trame, généralement toutes les 125 µs, fournir une information pour remplir l'intervalle de temps qui lui est alloué.

Le multiplexage de cellules émises par des sources différentes se partageant la même liaison d'accès est similaire au multiplexage de paquets appartenant à des circuits virtuels différents dans le cas de la commutation par paquets. Ce flot discontinu de cellules résultant du multiplexage de plusieurs connexions est transmis à la couche physique.

2.3. Fonctions de la couche physique

Du fait de la structuration en couches fonctionnelles, les contraintes imposées par la couche ATM à la couche physique sont très limitées. Le flux de cellules généré par la couche ATM peut en pratique être transporté dans la charge utile d'un quelconque système de transmission numérique, ce qui lui donne la possibilité de s'adapter aux systèmes de transmission actuels ou à venir.

La couche physique fournit principalement les fonctions suivantes, regroupées en deux sous-couches :

- la sous-couche de convergence, qui traite d'adaptation de débit, de protection de l'en-tête, de délimitation des cellules, d'adaptation à la structure du support physique ;
- la sous-couche de média physique, en charge des fonctions de codage, décodage, embrouillage, et d'adaptation au support.

2.3.1. Adaptation de débit

Le débit correspondant au flux de cellules multiplexées offert par la couche ATM à la couche physique n'est en général pas égal au débit utile du lien physique de la liaison d'accès. Une adaptation de débit, encore appelée **bourrage** ou **justification**, est nécessaire. Les différentes réalisations de cette adaptation peuvent être regroupées en trois techniques principales, la troisième étant d'ailleurs une combinaison des deux autres :

- pour générer un flux continu de cellules, le bourrage doit être réalisé par insertion de cellules vides. Dans le cas d'un système de transmission tramé, le flux résultant correspond alors à la charge utile du lien de transmission (trames synchrones SDH, par exemple), alors qu'il est égal au débit total du lien de transmission si ce dernier est "structuré en cellules" *(cell based).* Cette méthode d'insertion de cellules vides a été retenue par le CCITT pour le RNIS à large bande ;
- à l'inverse, le flux de cellules peut rester discontinu : ce type de flux se rencontre principalement dans les réseaux locaux ATM en cours de normalisation. Comme l'intervalle de temps entre cellules est quelconque, il est possible d'insérer des caractères de bourrage (symboles *idle)* pour adapter le débit. Cette technique est utilisée, par exemple, dans le cas d'une transmission ATM sur une infrastructure utilisant la couche physique FDDI à 100 Mbit/s (voir page 108) ;
- une combinaison des deux méthodes précédentes consiste à regrouper un nombre constant de cellules en blocs, ces derniers étant éventuellement complétés par des cellules vides. Le complément de débit entre ces blocs peut utiliser un nombre variable d'octets de bourrage, afin d'assurer toutes les 125 µs une récurrence stricte des blocs : cette dernière méthode est utilisée en transmission ATM sur un lien plésiochrone **PDH** *(Plesiochronous Digital Hierarchy).*

2.3.2. Protection de l'en-tête par le HEC

Le routage des cellules étant basé sur les champs VPI et VCI, il convient de les protéger car, en cas d'erreur, le routage devient impossible. Cette protection est assurée par le HEC. Les erreurs de transmission sont en général indépendantes les unes des autres, surtout dans les réseaux optiques : elles entraînent surtout des erreurs isolées, qui peuvent être corrigées de façon relativement simple. En cas d'erreurs en rafale (dues, par exemple, à des opérations de changement de configuration d'un réseau constitué de liaisons sécurisées), la correction n'est plus autorisée, et les cellules erronées sont écartées pendant cette durée. Dans tous les cas, erreurs isolées ou groupées, la cellule est détruite si l'erreur dépasse la capacité de correction du champ HEC.

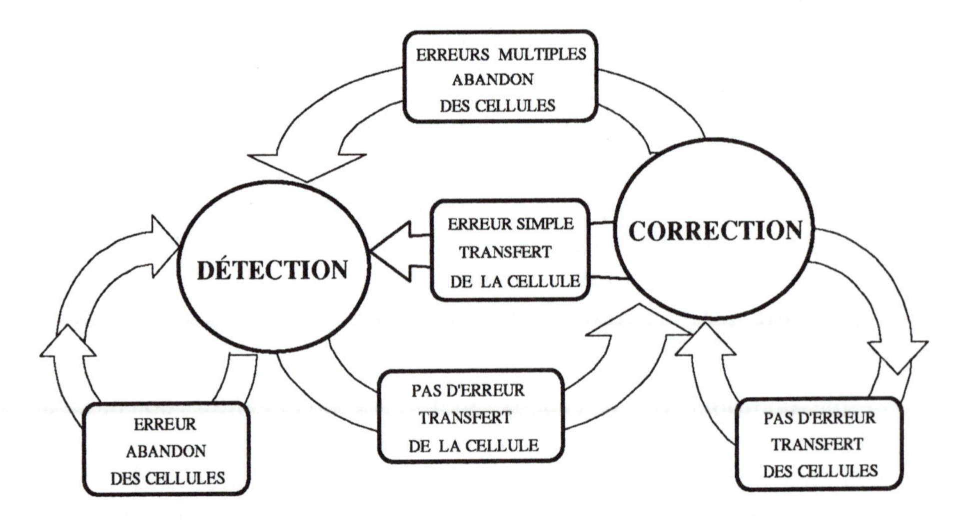

Figure 2.13 - Correction et détection des erreurs par le champ HEC

En ce qui concerne ce mécanisme de protection de l'en-tête, le récepteur dispose d'un mode **correction** et d'un mode **détection** :

– en mode correction, qui constitue le mode normal de fonctionnement, les cellules dont le HEC ne présente aucun syndrome d'erreur sont passées aux couches supérieures ; les cellules dont le HEC présente un syndrome d'erreur simple sont passées après correction de l'en-tête erroné, alors que celles présentant un syndrome d'erreurs multiples sont détruites ;

– la détection d'un HEC invalide (erreurs simples ou multiples) entraîne le passage en mode détection, dans lequel toutes les cellules dont le HEC est erroné sont détruites. Au contraire, la détection d'une cellule dont le HEC est correct autorise le retour au mode correction.

La figure 2.13 illustre cette procédure à deux modes, qui permet de se prémunir au mieux contre les erreurs en rafale : en présence d'une erreur, le récepteur suppose qu'il s'agit du début d'une rafale d'erreurs et se met en mode détection afin d'éviter d'effectuer des corrections à tort. Si cette hypothèse se révèle inexacte à la réception de la cellule suivante, il revient en mode correction.

Mathématiquement, la valeur du HEC pour un en-tête donné est obtenue par la procédure suivante :

– les 32 bits des quatre premiers octets de l'en-tête sont pris comme coefficients d'un polynôme M(x) de degré 31 (le premier bit correspond au terme x^{31} et le dernier au terme x^0) ;

– le polynôme M(x) est multiplié x^8 puis divisé (modulo 2) par un polynôme générateur $G(x) = x^8 + x^2 + x + 1$;

– le polynôme $C(x) = x^6 + x^4 + x^2 + 1$ est additionné modulo 2 au reste de la division, produisant ainsi un polynôme R(x) dont les coefficients forment la séquence de 8 bits du HEC (cinquième octet de l'en-tête).

L'octet ainsi généré fournit une distance de Hamming de quatre, propriété qui autorise la correction de toutes les erreurs simples (un seul bit en erreur) ainsi que la détection des erreurs doubles.

2.3.3. Délimitation des cellules

À la réception des cellules, il est nécessaire de pouvoir en identifier les limites. Cette fonction de cadrage peut être réalisée de diverses manières, selon la technique utilisée pour l'adaptation de débit.

a) Adaptation par flux continu de cellules

Dans le cas d'un flux continu de cellules, une fonction de cadrage indépendante du système de transmission a été définie. Elle est basée sur la détection du champ HEC de l'en-tête de cellule. L'utilisation d'un embrouilleur *(scrambler)* en améliore la sécurité et la robustesse (voir page 43).

La délimitation des cellules est fondée sur l'utilisation du champ HEC servant à protéger les quatre premiers octets de l'en-tête. Cette méthode ne fait appel à aucun motif de cadrage particulier, l'utilisation du champ HEC permettant un autocadrage des cellules ATM.

La détection des limites d'une cellule sur un flux numérique continu est obtenue en déterminant l'emplacement de l'octet où les règles de codage du HEC se trouvent vérifiées (voir page 37). Cet autocadrage repose sur le diagramme d'état décrit par la figure 2.14.

Dans l'état de **recherche** des limites de cellules, le mécanisme vérifie bit à bit si les règles de codage du HEC s'appliquent à l'en-tête présumé. À la détection de la première limite de cellule déterminée par la réception d'un HEC valide, le mécanisme passe dans l'état de **pré-synchronisation**. Dans cet état, le mécanisme continue de vérifier que les règles de codage du HEC s'appliquent aux octets présumés contenir un HEC.

La détection de delta HEC consécutifs et valides autorise le passage en état de **synchronisation** alors que la détection d'un HEC invalide fait retourner à l'état de recherche. Dans l'état synchronisé, le mécanisme continue la vérification des HEC : la détection de alpha HEC consécutifs et invalides fait retourner à l'état de recherche.

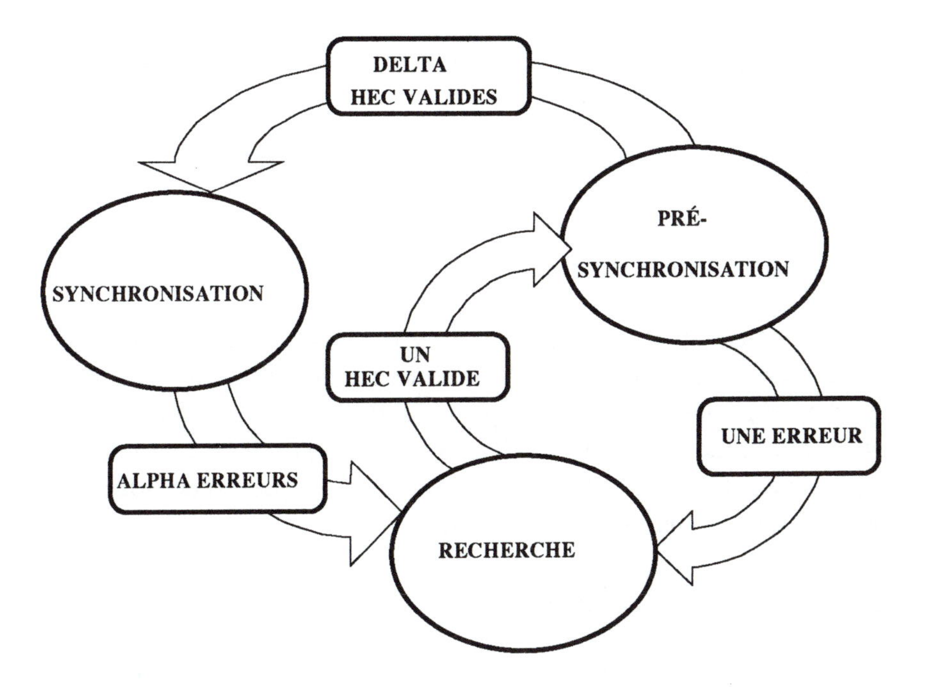

Figure 2.14 - Principe de cadrage des cellules ATM

La probabilité de perdre le cadrage en cas d'erreur de transmission est d'autant plus faible que alpha, nombre de HEC consécutifs et incorrects nécessaires pour considérer le cadrage perdu, est grand. Mais plus alpha est grand, plus le temps de détection de perte de cadrage est grand.

La probabilité de mauvais cadrage diminue pour de grandes valeurs de delta, nombre de HEC consécutifs et corrects nécessaires pour considérer le cadrage acquis. Cependant, plus delta est grand, plus le temps d'acquisition du cadrage est important.

Deux jeux de valeurs ont été proposés en fonction du type de support physique utilisé :

- **7** pour alpha et **6** pour delta pour les systèmes de transmission synchrone ;

– **7** pour alpha et **8** pour delta pour les systèmes de transmission structurés en cellules.

Pour des taux d'erreurs de 10^{-6} bit, le temps entre deux pertes de cadrage est supérieur à 10^{30} cellules.

b) Autre adaptation du débit

Lorsque l'adaptation de débit n'est pas basée sur la génération d'un flux continu de cellules, la technique de délimitation utilisant la détection du champ HEC n'est pas nécessairement possible. Dans ce cas, il faut donc fournir un motif de cadrage pour chaque cellule, sous forme d'octets ou de symboles. Quelques exemples spécifiques sont présentés dans le paragraphe suivant.

2.3.4. Adaptation aux systèmes de transmission

Une fois résolus les problèmes d'adaptation de débit et de délimitation des cellules, il reste à écouler ces flux numériques dans des systèmes de transmission, tramés ou non.

Dans un système de transmission tramé, deux cas sont à considérer pour la projection *(mapping)* d'un flux continu de cellules dans la charge utile :

– l'utilisation d'un support de transmission synchrone (SDH) ;

– l'utilisation d'un support de transmission plésiochrone (PDH).

a) Adaptation à une transmission synchrone

Dans le cas d'une transmission synchrone SDH, l'adaptation s'effectue au niveau du conduit. L'Avis I.432 du CCITT spécifie la projection pour les trames STM-1 à 155,520 Mbit/s (ainsi que STM-4 à 622,080 Mbit/s). La trame synchrone STM-1 offre une capacité de 2 430 octets toutes les 125 µs (155 520 kbit/s). Ces 2 430 octets sont organisés en 270 colonnes et 9 rangées. Les octets sont transmis rangée par rangée. Les neuf premières colonnes (81 octets) ne contribuent pas au transport d'information et constituent un **surdébit** utilisé pour délimiter et gérer la trame. La figure 2.15 illustre la structure de la trame synchrone STM-1.

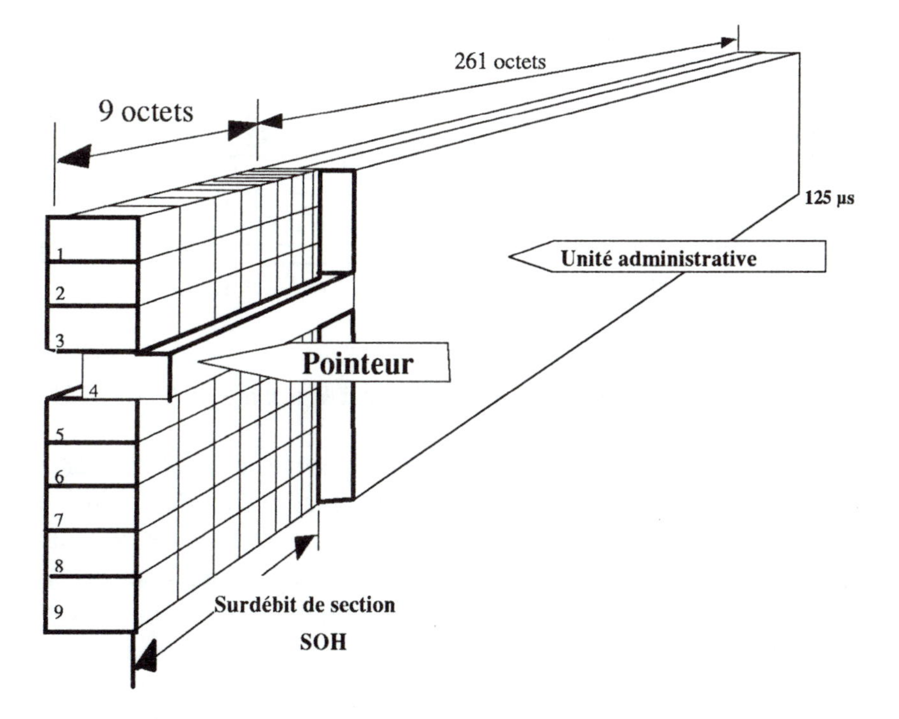

Figure 2.15 - Structure de la trame synchrone STM-1

Les 2 349 octets restants constituent un conteneur virtuel d'ordre 4, VC-4, lui-même constitué d'une colonne (9 octets) transportant le surdébit de conduit **POH** *(Path OverHead)* et du conteneur proprement dit, offrant une capacité de transmission de 2 340 octets toutes les 125 µs (149 760 kbit/s). Le surdébit de conduit est utilisé pour des fonctions de gestion (contrôle de parité sur le conduit, type de charge utile, vérification de la continuité du conduit...). Les octets C2 (type de charge utile = ATM) et H4 (pointeur) sont spécifiques de la projection de cellules ATM dans un conteneur C-4.

Conteneur virtuel (VC-4)

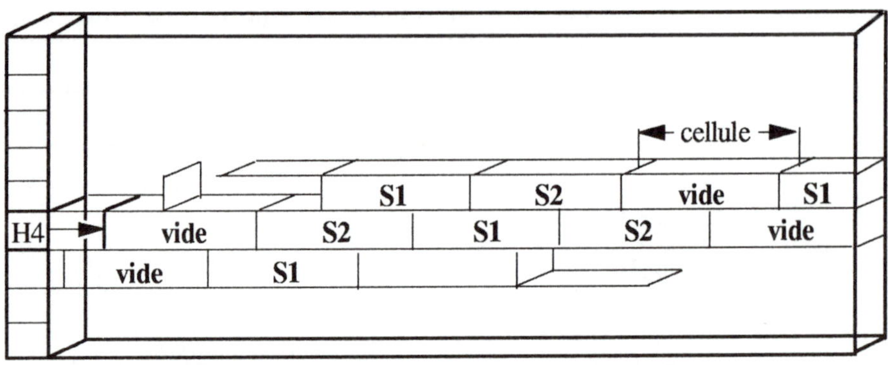

S1, S2 : cellules émises par les sources S1 et S2

POH

Figure 2.16 - Adaptation d'un flux de cellules à la trame synchrone STM-1

Une charge utile de 2 340 octets ne permet pas de ranger un nombre entier de cellules de 53 octets. De plus, le flux de cellules est projeté d'une manière continue dans le conteneur C-4, de sorte que certaines d'entre elles débordent sur la trame adjacente. Pour ce type de projection, il est à noter que la délimitation des cellules basée sur le champ HEC peut être complétée par des informations en provenance du système de transmission lui-même. En effet, l'octet H4 du surdébit de conduit (POH) permet d'identifier sur sa ligne le début de la première cellule entière à l'intérieur du conteneur : il indique le décalage qui existe entre lui-même et le premier octet de la cellule, sa valeur variant entre 0 et 52 (voir figure 2.16).

b) Adaptation à une transmission plésiochrone

Dans le cas d'une transmission plésiochrone, les cellules sont regroupées en une trame cyclique qui inclut également des fonctions de maintenance. Le protocole associé, appelé **PLCP** *(Physical Layer Convergence Protocol)* est en cours d'étude au CCITT. Il est dérivé de ceux définis par l'ETSI pour la norme IEEE 802.6 utilisée dans le cadre des réseaux métropolitains. Il concerne les niveaux hiérarchiques PDH à 34 368 et 139 264 kbit/s. À chaque cellule projetée dans la charge utile de transmission sont ajoutés 4 octets : les deux premiers fournissent un motif de cadrage, le troisième donne le numéro d'ordre de la cellule dans la trame cyclique de 125 µs, et le dernier est réservé à des fonctions de gestion similaires à celles offertes par le surdébit de conduit (POH) de la hiérarchie synchrone SDH.

Le surdébit associé à cette projection est loin d'être négligeable et certains utilisateurs préféreraient tirer profit de tout le débit normalisé par l'Avis G.702 du CCITT.

c) Adaptation à une transmission non tramée

Lorsque le système de transmission est non tramé, d'autres techniques doivent être utilisées. Les exemples donnés ci-après concernent la projection de cellules sur des systèmes propres aux réseaux locaux d'établissement, tels qu'ils sont en cours d'étude dans le cadre du Forum ATM (voir page 103).

Pour la transmission ATM à 100 Mbit/s utilisant le codage 4B/5B et les supports physiques développés pour les réseaux FDDI, le début de chaque cellule est identifié par une paire de symboles "TT", alors que des paires de symboles "JK" assurent le bourrage entre cellules. La transmission ATM à 155,520 Mbit/s, qui fait appel au codage 8B/10B et aux supports développés pour la norme **FCS** *(Fiber Channel Standard)*, utilise des blocs de 26 cellules dont le début est identifié par un symbole particulier.

2.3.5. Embrouillage des cellules

L'embrouillage des cellules permet de se protéger contre les imitations d'en-tête fortuites ou malveillantes. Il permet aussi de générer les transitions nécessaires au bon fonctionnement des systèmes de transmission structurés en cellules. La méthode consiste à additionner, modulo 2, la suite des données et une séquence pseudo-aléatoire résultant d'un polynôme générateur. Le type d'embrouillage dépend de l'environnement de transmission :

– dans le cas d'un système de transmission structuré en cellules, l'embrouillage porte sur l'ensemble des champs de la cellule. Il est de type asservi, en ce sens qu'il doit, pendant la phase d'acquisition du cadrage des cellules, transmettre au récepteur une information de synchronisation de la séquence pseudo-aléatoire. Cette dernière est fournie sur plusieurs cellules en utilisant 2 bits du champ HEC. Pendant cette phase, la délimitation des cellules s'effectue sur 6 bits seulement, ce qui explique la nécessité d'un plus grand nombre de confirmations (delta = 8) qu'en transmission synchrone. Le polynôme utilisé pour ce type d'embrouillage est $x^{31} + x^{28} + 1$;

– dans le cas d'utilisation d'une couche physique synchrone, l'embrouillage ne porte que sur la charge utile et ne nécessite pas d'asservissement du récepteur. Ce système, plus simple, a cependant l'inconvénient de multiplier par 2 les erreurs de transmission (plus précisément, le taux d'erreurs est multiplié par le nombre de termes du polynôme utilisé). Le polynôme choisi est $x^{43} + 1$.

2.4. Fonctions de la couche d'adaptation AAL

2.4.1. Généralités

La couche ATM, décrite ci-dessus, fournit un service de commutation à hautes performances qui est unique pour tous les flux générés par des applications aux profils très variés. Ces flux sont commutés après multiplexage par des mécanismes communs, et seules des files d'attentes multiples en amont de ces mécanismes peuvent apporter un traitement différencié. Le service fourni par la couche ATM peut être résumé comme suit :

- le relais de cellules opère en mode connecté et préserve donc l'ordre de la séquence des cellules émises ;
- il fonctionne indépendamment de l'horloge de la source de trafic. Cet avantage implique cependant l'absence d'information explicite sur l'horloge de source dans le flux reçu. De plus, cet asynchronisme, ainsi que la présence de files d'attente dans le réseau, introduisent des délais de propagation variables qui provoquent une **gigue de cellules**, de l'ordre de 0,1 ms ;
- il n'offre pas de possibilité de contrôle de flux. Ce dernier devra, si nécessaire, être ajouté dans les couches supérieures (applications utilisatrices) ;
- il est totalement transparent au contenu de la charge utile des cellules. Il n'en modifie pas le contenu, mais ne fournit aucun moyen de s'assurer de son intégrité. Par ailleurs, si une erreur de transmission sur l'en-tête est corrigée à tort (en cas d'erreurs multiples), il y a un risque d'imiter un identificateur logique valide, et donc d'insérer la cellule sur cette voie logique. Inversement, si la capacité de correction du HEC est dépassée, des cellules peuvent être perdues, ainsi qu'en cas de congestion des files d'attente du réseau.

La couche AAL est, quant à elle, beaucoup plus liée aux applications : elle permet d'affiner la qualité de service offerte par la couche ATM, selon les exigences du service utilisateur. Elle met en oeuvre des protocoles de bout en bout, transparents à la couche ATM.

En particulier, l'information à transporter n'ayant aucune raison d'être compatible avec la longueur de la charge utile de la cellule ATM (48 octets), il est nécessaire de segmenter ou de grouper l'information à l'émission et de réassembler ou dégrouper les cellules éventuellement incomplètes à la réception.

Des services différents nécessiteraient des couches d'adaptation spécialisées ; cependant, afin d'éviter une trop grande dispersion des développements, un regroupement en classes de services a été effectué autour de trois composantes principales, qui caractérisent tout flux de trafic :

– son débit, qui peut être constant ou variable ;

– son mode de connexion, qui peut être avec ou sans connexion ;

– ses besoins en matière d'isochronisme, lequel peut imposer une relation stricte ou pas de relation du tout entre l'horloge de la source et celle du récepteur.

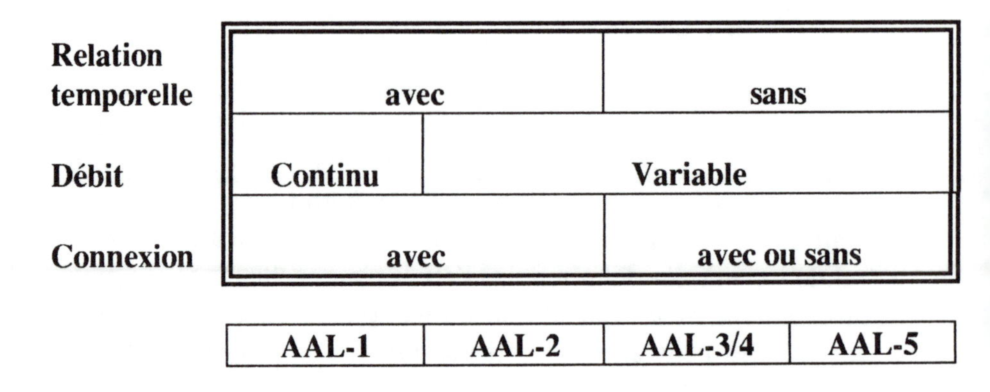

Figure 2.17 - Les types d'adaptation à ATM

Quatre fonctions d'adaptation découlant de combinaisons des caractéristiques évoquées ci-dessus ont d'abord été définies : les AAL de type 1, 2, 3 et 4. Par la suite, les AAL de type 3 et 4 ont été fondues en une seule, appelée AAL de type 3/4, et une nouvelle AAL nommée **type 5** est apparue sous la pression du monde informatique.

Ce rappel historique illustre le fait que la liste des mécanismes d'adaptation n'est pas nécessairement close, compte tenu de leur relation étroite avec les applications des utilisateurs. À ce jour, les mécanismes d'adaptation normalisés sont (voir figure 2.17) :

- AAL type 1, pour les informations à débit constant et nécessitant une relation stricte entre horloges d'émission et de réception (émulation de circuit de voix, par exemple) ;
- AAL type 2, pour les informations à débit variable et nécessitant également une relation stricte entre horloges d'extrémité (vidéo à débit variable, par exemple) ;
- AAL type 3/4, pour les transmissions de données en mode connecté ou non ;
- AAL type 5, qui peut être vue comme une version simplifiée de l'AAL type 3/4 avec, néanmoins, des capacités similaires.

Ces couches d'adaptation sont structurées en deux sous-couches :

- la sous-couche de segmentation et réassemblage (**SAR**, *Segmentation And Reassembly sublayer)*, en charge du changement de format entre les unités de données utilisateur et la charge utile des cellules. Les champs AAL correspondant à cette sous-couche relativement indépendante du service utilisateur sont présents dans chaque cellule. Cette fonction permet de détecter les cellules perdues ou dupliquées, car elles sont numérotées ; néanmoins, la récupération elle-même est du ressort de la sous-couche de convergence. Enfin, la sous-couche SAR permet le bourrage de cellules incomplètes ;
- la sous-couche de convergence (**CS**, *Convergence Sublayer)*, qui assure des fonctions plus spécifiques du service utilisateur. Les champs AAL relatifs à ces fonctions ne sont présents qu'une fois par unité de données utilisateur. La sous-couche de convergence est en charge, si nécessaire, du traitement des erreurs, en mettant en oeuvre des mécanismes de retransmission de messages erronés ou de protection de l'information permettant au récepteur de corriger ces erreurs : cette dernière technique de protection vers

l'avant (**FEC**, *Forward Error Correction)* est particulièrement utilisée en présence d'applications en temps réel. La sous-couche CS peut également assurer la synchronisation de bout en bout.

2.4.2. Fonction d'adaptation AAL type 1

La fonction d'adaptation AAL type 1 est utilisée par les applications à fortes contraintes d'isochronisme et à débit constant, telles que :

- signaux de parole ;
- signaux audio de haute qualité ;
- signaux vidéo ;
- émulation de circuit de données.

Son rôle est de permettre la récupération du rythme d'horloge propre à l'information transportée, de compenser les dispersions de temps de propagation induits par le réseau, et de gérer la perte ou l'insertion accidentelle de cellules. Elle permet aussi l'utilisation de données structurées en blocs et peut fournir des moyens de traitement des erreurs.

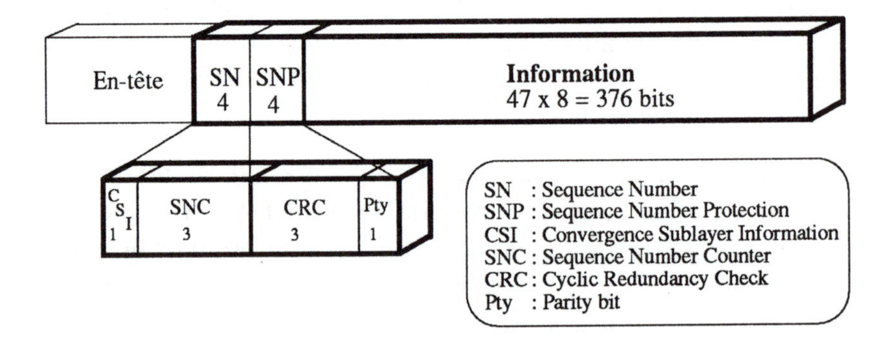

Figure 2.18 - AAL type 1

Les champs relatifs à ces fonctions occupent un octet de la charge utile, laissant 47 octets disponibles pour l'information (voir figure 2.18). Ils incluent un numéro de séquence (**SN**, *Sequence Number)* permettant de détecter les cellules manquantes ou insérées par erreur, ainsi qu'un champ de protection de cette numérotation (**SNP**, *Sequence Number Protection).* Ce dernier champ se décompose en deux :

– un CRC sur 3 bits pour corriger les erreurs simples ;

– 1 bit de parité paire pour détecter les erreurs doubles.

Le champ SN se subdivise lui aussi en deux :

– le premier bit (**CSI**, *Convergence Sublayer Information)* peut transporter une marque de temps appelée **RTS** *(Residual Time Stamp),* qui est utilisée pour le calage de l'horloge du récepteur. Il peut également être utilisé pour délimiter des blocs de données ;

– les 3 bits suivants véhiculent le compteur permettant la numérotation modulo 8 des cellules.

Dans certaines applications de flux continus, telles que l'émulation de circuits de données ou les signaux audio de haute qualité, il est nécessaire de restituer très précisément l'information reçue, et donc d'absorber totalement la gigue de cellules. Pour ce faire, le récepteur doit stocker l'information reçue pendant un temps au moins égal au temps de propagation, augmenté de la valeur maximale de la gigue (voir figure 2.19).

Un transfert de type asynchrone comme l'est l'ATM ne permet pas l'asservissement de l'horloge de la source sur celle du réseau : le récepteur doit donc reconstituer l'horloge de la source. Le flux de cellules peut comporter alors une marque de temps (RTS) donnée par une horloge de référence. Cette technique nécessite une référence d'horloge commune dérivée du réseau de transport sous-jacent (SDH par exemple). Cette marque de temps de 4 bits est transportée par le bit CSI d'une cellule sur deux appartenant à un groupe de 8 cellules consécutives (cellules d'ordre impair).

Dans le cas de signaux de parole ou de vidéo, l'utilisation de la méthode précédente, appelée **SRTS** *(Synchronous Residual Time Stamp)* n'est en général pas nécessaire, et une récupération approximative de l'horloge de source par le récepteur peut être obtenue par un asservissement sur le rythme de remplissage de ses mémoires tampons. Le taux de remplissage moyen à l'entrée du récepteur permet de caler un délai initial de restitution des cellules. Si le remplissage augmente, le rythme de restitution des cellules est accéléré, et inversement en cas de diminution (voir figure 2.19).

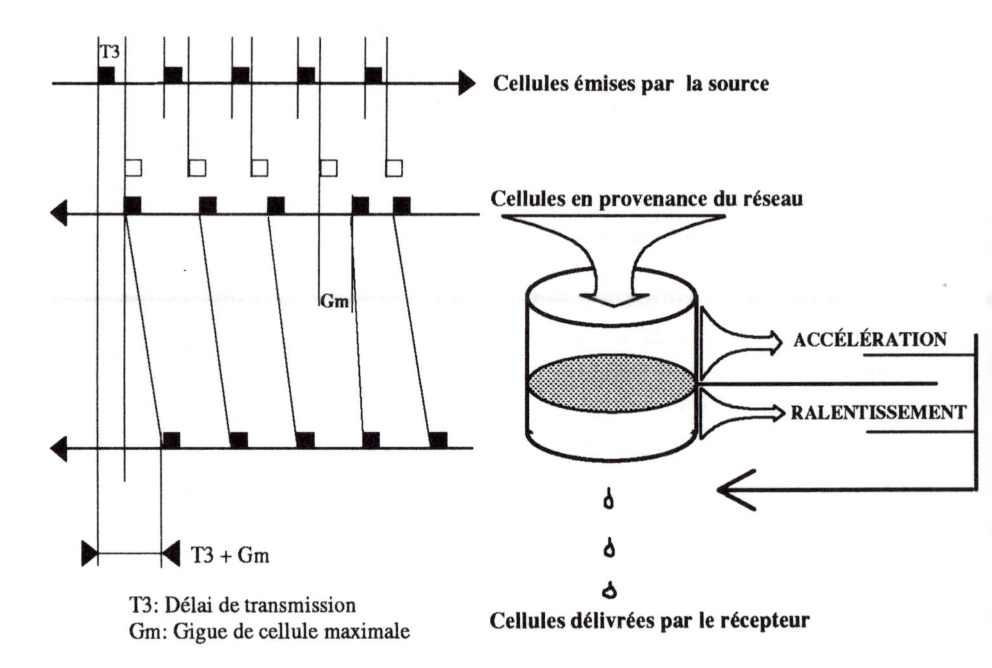

Figure 2.19 - Asservissement de l'horloge réceptrice sur l'émettrice

La fonction d'adaptation AAL type 1 permet aussi le transfert de données structurées en blocs (par exemple, pour supporter un circuit de données à n.64 kbit/s). Le cadrage est rendu possible à l'aide d'un pointeur, qui indique l'emplacement du prochain bloc. Ce pointeur occupe le premier octet de la charge utile (alors limitée à 46 octets) et sa présence est donnée par le bit CSI. Pour assurer la compatibilité avec la méthode SRTS décrite ci-dessus, le pointeur ne peut être présent que dans des cellules d'ordre pair.

La sous-couche de convergence de l'AAL type 1 peut également prendre en charge le traitement des erreurs : erreurs simples ou multiples dans la transmission de la charge utile des cellules, mais aussi pertes ou insertions de cellules entières, détectées par la sous-couche SAR. Le mode de traitement et ses performances dépendent du type de service utilisateur : ainsi, en cas d'émulation de circuit de données, et sous réserve que le taux d'erreurs et le taux de perte de cellules soient très faibles, les erreurs peuvent être gérées par les protocoles de bout en bout, sans intervention de la couche AAL ; de même, aucun traitement n'est nécessaire pour le service téléphonique.

Une simple détection de cellule perdue, en vue d'une retransmission, ne convient pas à des applications en temps réel, car elle induirait un temps de réponse non borné. En revanche, elle peut contribuer à masquer les erreurs par un mécanisme d'interpolation de l'information reçue. Ce masquage est particulièrement efficace si un entrelacement préalable des données est effectué à l'émission, car il permet de diluer l'effet d'une perte de cellule (voir description ci-après).

Si le masquage des erreurs n'est pas suffisant pour satisfaire les contraintes du service utilisateur (par exemple dans le cas de signaux vidéo ou de signaux audio de haute qualité), il est nécessaire de retrouver exactement l'information d'origine à l'aide d'une technique de correction de type FEC, éventuellement combinée à un mécanisme d'entrelacement.

Le principe de l'entrelacement d'octets *(byte interleave)* est basé sur une idée très simple : si l'information est transmise dans des cellules au fur et à mesure de sa génération, la perte d'une cellule affecte en réception 47 octets consécutifs. Au contraire, l'information à transmettre peut être stockée temporairement par blocs de 47 fois p octets, après quoi p cellules sont constituées de la manière suivante : la première contient les octets numérotés 1, p + 1, 2p + 1..., la seconde les octets de rang 2, p + 2, 2p + 2... et ainsi de suite jusqu'à la cellule d'ordre p. Si une cellule est perdue (le rang de cette dernière est alors connu du récepteur par la détection d'une rupture de séquence dans la sous-couche SAR), le flux reconstitué en réception n'est affecté qu'à raison de 1 octet tous les p octets, ce qui facilite grandement le mécanisme d'interpolation. Il convient de noter que la première cellule parmi p est identifiée par le bit CSI, ce qui rend cette méthode incompatible avec le transfert de données structurées en blocs.

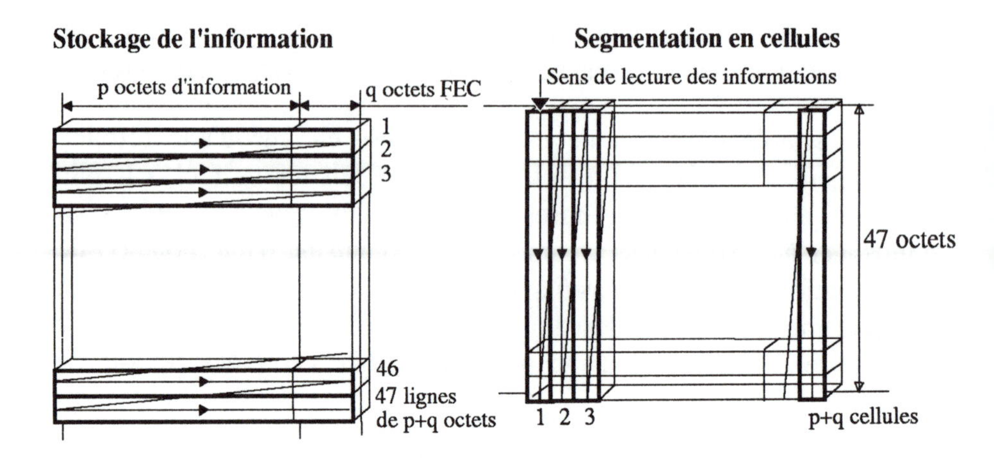

Figure 2.20 - Technique d'entrelacement d'octets

S'il est nécessaire de reconstituer exactement l'ensemble des octets d'origine, une technique de correction répartie s'ajoute au mécanisme d'entrelacement : au lieu de stocker directement 47.p octets, q octets sont ajoutés à chaque "ligne" de p octets générés, ce qui conduit à un total de 47.(p + q) octets. Ces q octets constituent une information de redondance, calculée à partir des p octets correspondants. La lecture de la mémoire de stockage donne lieu à l'émission de p + q cellules, dont q de redondance (voir figure 2.20). En pratique, le CCITT propose l'utilisation d'un code Reed Solomon RS (128, 124), soit p = 124 et q = 4. S'il n'y a pas de cellule perdue, ce code permet, après entrelacement inverse, de corriger jusqu'à 2 octets par "ligne" de 128 octets. Si la sous-couche SAR du récepteur détecte une cellule perdue, elle fournit une cellule factice en remplacement, avec une indication d'erreur : le code correcteur peut alors corriger jusqu'à 4 cellules manquantes.

Bien entendu, une telle technique a pour inconvénient d'introduire un retard de p + q cellules, aussi bien en émission qu'en réception, soit, dans le cas ci-dessus, un temps équivalent à 256 cellules. Ce retard est d'autant plus gênant que le débit est faible : dans une application de visiophonie à 384 kbit/s, ce mécanisme conduit à un retard de 250 ms.

D'autres méthodes sont envisageables. À titre d'exemple, il est possible d'émettre, sans entrelacement, un bloc de p cellules de 47 octets, suivi d'une cellule de redondance dont chaque bit indique la parité des bits homologues dans les p cellules. Cette technique permet la correction d'une cellule perdue par bloc (dont le rang est donné par la sous-couche SAR).

2.4.3. Fonction d'adaptation AAL type 2

Le rôle de cette fonction d'adaptation est similaire à celui de la fonction AAL type 1, en ce qui concerne la récupération d'horloge, la compensation de la gigue de cellules et la gestion de la perte ou de l'insertion de cellules.

Les champs correspondant à ces fonctions sont néanmoins différents pour s'adapter à la transmission d'unités de données de longueur variable. Ils occupent 3 octets, laissant 45 octets pour l'information (voir figure 2.21). On y trouve : un numéro de séquence de 4 bits, une information (**IT**) décrivant le type de la cellule (début, fin de message, information d'horloge...), le nombre d'octets significatifs dans le cas d'une cellule partiellement remplie (**LI**), ainsi qu'un code CRC sur 10 bits, qui permet la détection des erreurs dans la charge utile de la cellule et la correction d'une erreur simple.

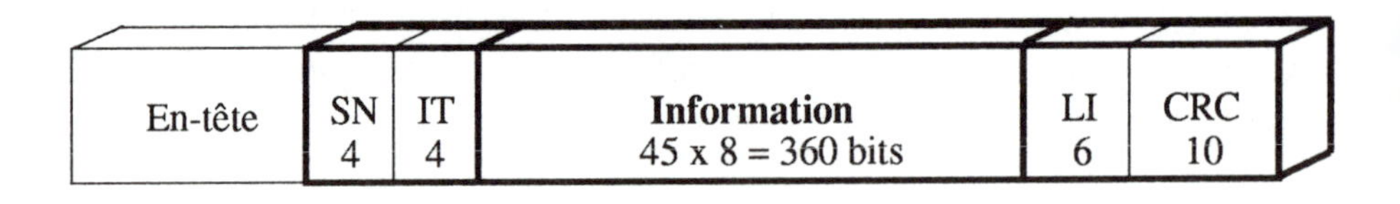

SN : Sequence Number
IT : Information Type
LI : Length Indicator
CRC : Cyclic Redundancy Check

Figure 2.21 - AAL type 2

2.4.4. Fonction d'adaptation AAL type 3/4

La couche AAL type 3/4 fonctionne soit en mode connecté, soit en mode non connecté, dans lequel les unités de données (datagrammes), sont acheminées indépendamment les unes des autres. Le flux transporté en mode connecté peut être assuré ou non par le réseau :

– en mode **assuré**, la couche AAL type 3/4 dispose de fonctions de contrôle de flux et de retransmission des unités manquantes ou erronées ;

– en mode **non assuré**, ces fonctions doivent être fournies par les couches supérieures.

Ces fonctions d'adaptation acceptent des unités de données d'une longueur maximale de 65 535 octets et offrent deux niveaux de priorité : priorité normale et haute priorité.

Comme l'indique la figure 2.22, la sous-couche de convergence (CS) est formée de deux parties appelées **CPCS** *(Common Part Convergence Sublayer)* et **SSCS** *(Service Specific Convergence Sublayer)*. C'est dans cette dernière partie que sont réalisées les fonctions relatives aux modes assuré et non assuré du service avec connexion.

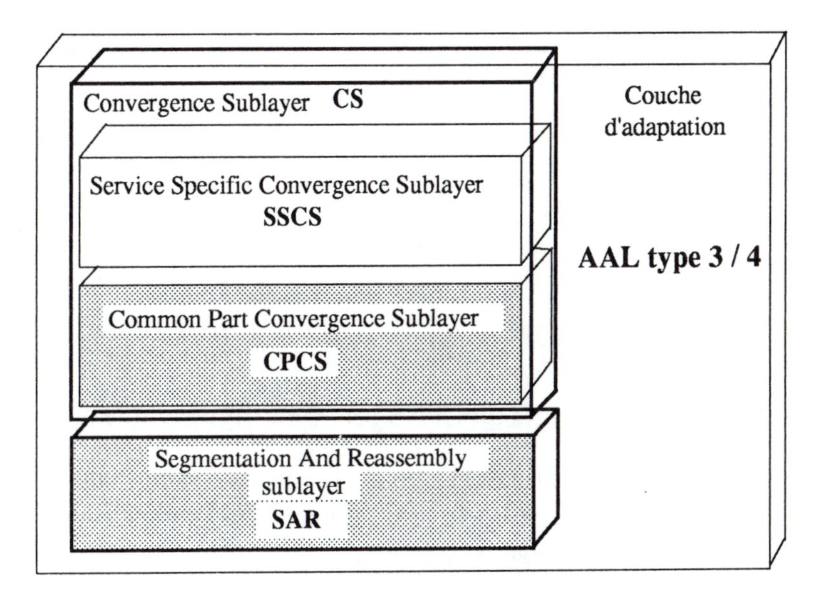

Figure 2.22 - AAL type 3/4

Les fonctions supportées par la sous-couche CPCS sont les suivantes :

- délimitation des unités de données relatives au service (CPCS-SDU, *Service Data Unit)* ;
- détection des erreurs (en option, les CPCS-SDU erronées peuvent être transmises aux couches supérieures avec une indication d'erreur, sinon elles sont écartées) ;
- information du récepteur sur les besoins en mémoire pour recevoir la CPCS-SDU ;

– envoi d'un message d'abandon.

Les fonctions du CPCS permettent de supporter aussi bien un service sans connexion qu'un service avec connexion.

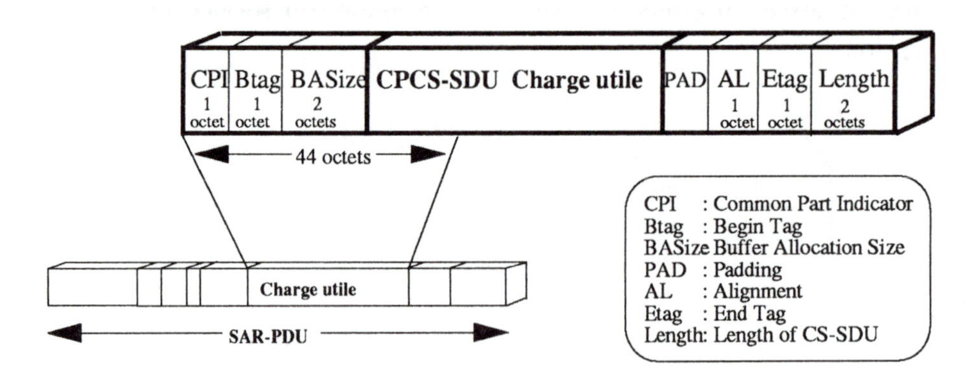

Figure 2.23 - Structure d'une CPCS-SDU

Les champs significatifs du CPCS sont (voir figure 2.23) :

– un champ d'identification pour la partie commune (**CPI**, *Common Part Indicator),* qui donne des indications pour l'interprétation des champs suivants ;

– des indicateurs de début et de fin de la CPCS-SDU *(**Btag**, **Etag**)*, qui permettent d'éviter la concaténation accidentelle de deux CPCS-SDU, résultant de la perte des cellules transportant la fin de la première unité de données et le début de la seconde ;

– un indicateur initial de taille de la CPCS-SDU *(**BASize**)*, qui permet au récepteur de mettre en place une mémoire tampon de taille suffisante pour son stockage (afin de ne pas devoir réserver systématiquement une mémoire tampon de la taille maximale de 64 kilo-octets) ;

– un bourrage pour aligner la CPCS-SDU sur une frontière de 32 bits (**AL**, *Alignment)* ;

– un indicateur final de taille de la CPCS-SDU qui donne la longueur exacte des données utiles ***(Length)***. Il permet d'effectuer l'élimination du bourrage.

La sous-couche SAR assure l'intégrité de la charge utile de la cellule et fournit des fonctions de groupage ou dégroupage et de segmentation ou réassemblage : les unités (CS-PDU) inférieures à la charge utile d'une cellule sont groupées alors que celles de longueur supérieure subissent une segmentation. Les champs permettant cette gestion occupent 4 octets dans la cellule, ce qui réduit la charge utile à 44 octets (voir figure 2.24). Il est à noter que cette taille de charge utile, multiple de 4 octets, est adaptée à l'utilisation de processeurs 32 bits.

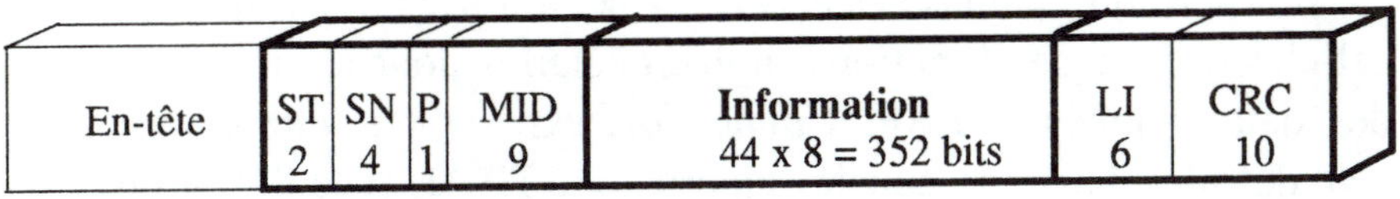

En-tête	ST	SN	P	MID	**Information**	LI	CRC
	2	4	1	9	44 x 8 = 352 bits	6	10

ST : Segment Type
SN : Sequence Number
P : Priority
MID : Multiplexing IDentification
LI : Length Indicator
CRC : Cyclic Redundancy Check

Figure 2.24 - Structure d'une SAR-PDU

Les champs de la sous-couche SAR comportent :

- un indicateur de type de segment : début, milieu, fin de message ou message composé d'un seul segment (**ST**, *Segment Type)* ;

- un numéro de séquence modulo 16 pour détecter les cellules manquantes ou insérées (**SN**, *Sequence Number)* ;

- un indicateur de priorité, permettant aux SAR-PDU de haute priorité d'être transmises avant celles de priorité normale ;

- un indicateur de multiplexage, permettant d'identifier des cellules appartenant à des flux de données différents (512 au plus), multiplexés sur la même connexion virtuelle (**MID**, *Multiplexing IDentification)* ;
- un indicateur donnant le nombre d'octets utiles (de 1 à 44) dans la cellule (**LI**, *Length Indicator)* ;
- un code CRC sur 10 bits, identique à celui utilisé avec la fonction d'adaptation AAL type 2.

Un codage particulier d'une SAR-PDU permet de transmettre le message d'abandon : le type de segment indique "fin de message", la charge utile est tout à zéro, ainsi que le champ LI.

La fourniture d'un service sans connexion par un réseau à relais de cellules impose des fonctions supplémentaires pour assurer le routage des datagrammes (**CLSF**, *ConnectionLess Service Function).* Elles sont définies dans une couche supérieure à l'AAL type 3/4, utilisée en mode non assuré, et qui est appelée **CLNAP** *(ConnectionLess Network Access Protocol)* (voir figure 2.25).

Cet ensemble de protocoles est très proche de celui défini dans la norme DQDB : adresses basées sur le plan de numérotage E.164, validation des adresses, support de groupes d'adresses...

Les champs principaux de la couche CLNAP sont les suivants :

- les **adresses de source** et **de destination** du datagramme, nécessaires au routage ;
- un champ d'identification des protocoles de niveaux supérieurs (**HLPI**, *Higher Layer Protocol Identifier)* ;
- un indicateur relatif à la qualité de service (**QOS**, *Quality Of Service)* ;
- un code CRC, en option, qui permet la détection des erreurs.

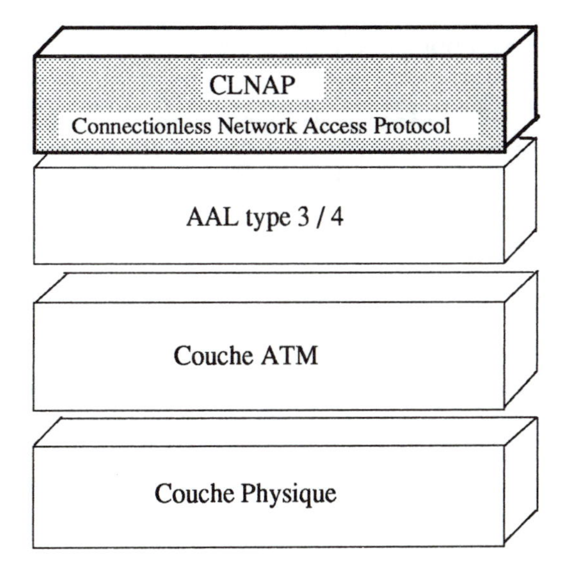

Figure 2.25 - Service sans connexion

2.4.5. Fonction d'adaptation AAL type 5

Cette fonction peut être vue comme une version simplifiée de la couche AAL 3/4 : tout comme cette dernière, elle a pour objet de transporter, en mode connecté, des flux de données composés d'unités de longueur variable dans la limite de 65 535 octets.

L'unité de données confiée par l'utilisateur à l'AAL 5 est complétée afin de constituer une unité divisible en un nombre entier de cellules : la longueur de l'unité résultante devient alors multiple de 48 octets, et le bourrage a une longueur comprise entre 0 et 47 octets. La dernière cellule contient 8 octets consacrés à trois fonctions distinctes :

– un indicateur de longueur (16 bits), qui permet au récepteur de déterminer la taille utile des données ;

– un CRC de 32 bits, qui permet de détecter les erreurs sur les données transportées ;

– 16 bits réservés pour usage ultérieur.

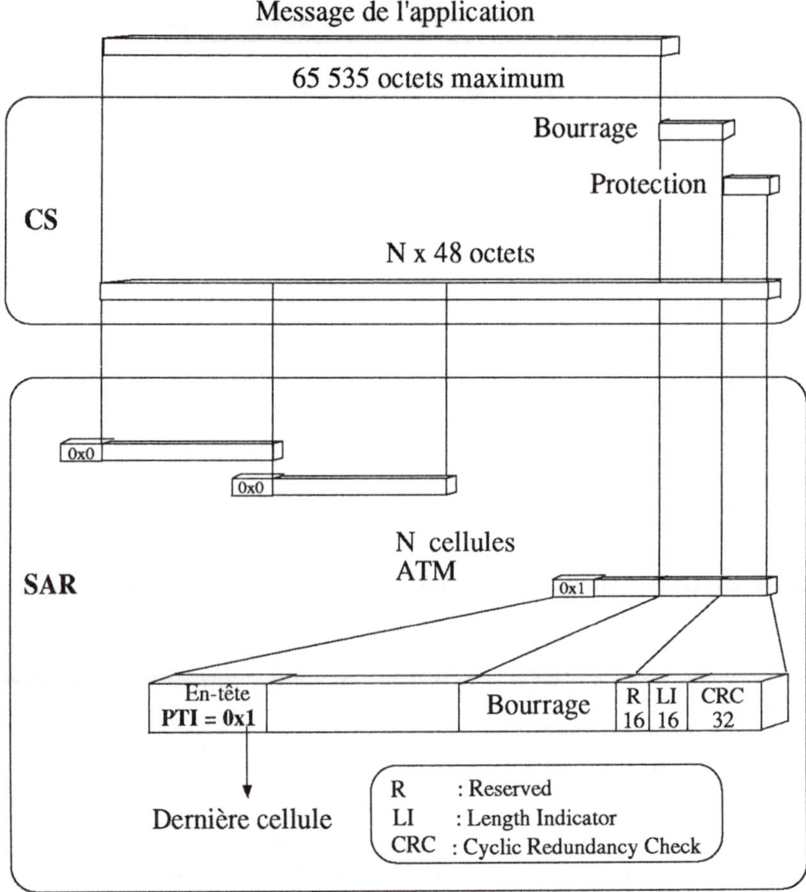

Figure 2.26 - Fonctionnement de l'AAL type 5

Puisque l'ensemble des 48 octets de la charge utile est occupé par les données de l'utilisateur, la fonction AAL type 5 ne peut pas fournir d'indicateurs explicites de début ou de fin d'unité de données. Le marquage de la dernière cellule d'une unité de données est fourni par le dernier bit du champ PTI (type de SDU = 1) de l'en-tête ATM (voir page 24). De ce fait, la première cellule d'une unité de données est implicitement identifiée comme étant celle qui suit la dernière cellule de l'unité précédente, laquelle est explicitement déterminée (voir figure 2.26).

La fonction AAL type 5 est adaptée à une implémentation matérielle de la sous-couche CPCS. Elle présente l'avantage d'utiliser totalement la charge utile des cellules et de mettre en oeuvre une protection efficace de l'unité de données par un code CRC à 32 bits. Elle ne permet cependant pas de détection d'erreur par cellule, ni de multiplexage de plusieurs flux.

2.5. Flux de maintenance

Un réseau ATM doit pouvoir mesurer la qualité de service offerte à ses utilisateurs et en détecter rapidement les dégradations. Des moyens de localiser l'élément défaillant sont nécessaires pour mettre en oeuvre d'éventuelles actions de reconfiguration. Une localisation précise est particulièrement précieuse dans le cas d'un réseau complexe.

De la même façon que la couche ATM agit sur des connexions constituées de faisceaux virtuels et de voies virtuelles, le système de transmission sous-jacent est structuré en plusieurs niveaux : supports de transmission, sections de régénération, sections de multiplexage, conduits de transmission. De plus, un réseau ATM est éventuellement subdivisé en plusieurs sous-réseaux (ou segments), qui peuvent être administrés séparément.

Des flux de maintenance sont définis dans l'Avis I.610 du CCITT. Ils ont en charge les fonctions suivantes :

- gestion des performances, en évaluant le taux d'erreurs par contrôle de parité (**BIP**, *Bit Interleaved Parity)* et recueil des résultats (**FEBE**, *Far End Block Error)* ;

– gestion des fautes, à l'aide de tests de continuité et de moyens de signaler certains incidents (**AIS**, *Alarm Indication Signal)* ou de retourner vers l'amont des indications de faute (**FERF**, *Far End Receive Failure)*.

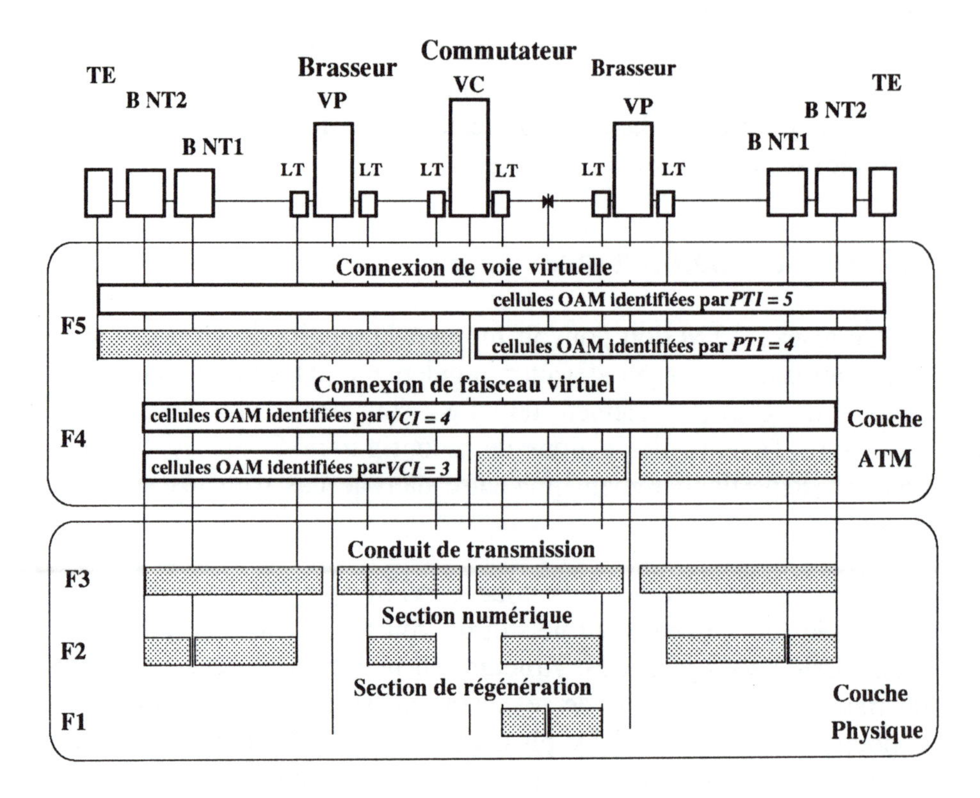

Figure 2.27 - Flux de maintenance ATM

Ces flux de maintenance sont au nombre de cinq, comme l'indique la figure 2.27. Les flux F1, F2 et F3 sont transportés par des canaux fournis par la couche physique, selon le type de support (trame ou flux continu de cellules) ; les flux F4 et F5 utilisent des connexions virtuelles (faisceaux ou voies) fournies par la couche ATM.

2.5.1. Flux de maintenance de la couche physique

Les flux de maintenance F1, F2 et F3, respectivement en charge de la surveillance de la section de régénération, de la section de multiplexage (encore appelée section numérique) et du conduit de transmission, utilisent essentiellement des moyens spécifiques du système de transmission.

Dans le cas d'une couche physique SDH, les flux de maintenance font usage des surdébits de section (SOH) et de conduit (POH) de la hiérarchie synchrone (voir figure 2.27). La mesure de performance est réalisée sur des blocs d'octets dont la taille est exactement celle de la charge utile des conteneurs virtuels (2 340 octets pour une trame STM-1 à 155,520 Mbit/s, 9 360 octets pour une trame STM-4 à 622,080 Mbit/s). La vérification de parité s'applique donc sur l'ensemble des octets des cellules (en-tête compris) portées par ces conteneurs. Pour les flux F1 et F3, elle est effectuée octet par octet (BIP-8), alors que pour le flux F2, elle porte sur des mots de 3 octets (BIP-24) à 155,520 Mbit/s ou de 6 octets (BIP-96) à 622,080 Mbit/s.

D'une manière similaire, la couche physique PDH utilise, pour les flux de maintenance, certains éléments binaires du surdébit des systèmes à 34,368 et 139,264 Mbit/s. La vérification de parité (BIP-8) porte également sur la totalité de la charge utile, soit 530 ou 2 160 octets.

La couche physique d'un système structuré en cellules ne fournit *a priori* aucun moyen de communication particulier pour des flux de maintenance. Dans ce cas, des cellules spéciales de maintenance (**OAM**, *Operation And Maintenance)* sont insérées régulièrement dans le flot de cellules. Elles sont identifiées par un en-tête spécifique qui, de plus, indique s'il s'agit d'un flux de type F1 ou F3 (il est à remarquer qu'un système structuré en cellules ne comprend pas de section de multiplexage). La mesure de performance s'effectue sur un nombre fixe de cellules. Ces cellules OAM peuvent contenir les informations de contrôle de parité (BIP-8), les résultats (nombre de violations de parité), les indications AIS et FERF. Leur contenu est protégé par un CRC sur 10 bits (polynôme $x^{10} + x^9 + x^5 + x^4 + x + 1$).

2.5.2. Flux de maintenance de la couche ATM

Alors que les flux de la couche physique ne sont accessibles que par l'opérateur de réseau, les flux de maintenance F4 et F5 sont utilisables par l'usager. En général, ils ne sont activés qu'à la demande. Ce sont des flux de bout en bout, mais il existe aussi des flux par segments (flux de sous-réseau).

La vérification d'un faisceau virtuel (flux F4) s'effectue à l'aide de cellules OAM envoyées sur une voie virtuelle réservée (VCI = 4 pour un flux F4 de bout en bout, VCI = 3 pour un flux F4 de sous-réseau). Par contre, les flux de maintenance relatifs à une voie virtuelle donnée (flux F5) empruntent le même chemin que les cellules utiles : on les distingue par un codage particulier du champ PTI de leur en-tête (PTI = 5 si le flux F5 est de bout en bout, PTI = 4 s'il s'applique à un sous-réseau).

Les flux F4 et F5 font appel à des mécanismes identiques pour la mesure de performance. Cette dernière s'effectue sur des blocs de taille nominale (N = 128, 256, 512 ou 1 024 cellules). Au bout de N cellules, la cellule OAM de contrôle de parité (BIP-16) n'est insérée que lorsqu'il n'y a pas d'activité, afin de ne pas provoquer de gigue dans le flot utile. La taille du bloc contrôlé peut ainsi varier entre N et 3N/2 cellules. Au contraire, elle peut descendre jusqu'à N/2 si l'activité est faible.

Afin de s'assurer qu'une connexion est toujours active, des cellules de test de continuité peuvent être envoyées lorsqu'il n'y a aucune cellule utile émise pendant une durée déterminée et qu'aucun défaut n'est signalé.

2.6. Performances du relais de cellules

Les paramètres qui agissent sur les performances du relais de cellules sont :

– la perte des cellules ;

– le délai de transfert subi par les cellules.

2.6.1. Perte de cellules

Il y a deux causes majeures à la perte des cellules : les erreurs sur l'en-tête et le dépassement de capacité des mémoires tampons utilisées le long de la route empruntée. Bien que l'en-tête soit protégé contre les erreurs, certaines d'entre elles ne sont ni corrigées ni détectées (voir page 45), ce qui conduit à des erreurs d'acheminement. En outre, le traitement des erreurs par le HEC conduit à l'écartement des cellules dont l'en-tête a été victime d'une erreur impossible à corriger. Le relais de cellules est donc caractérisé par un taux de perte de cellules et un taux de mauvais acheminement de cellules.

La capacité des mémoires tampons n'est pas infinie, et il existe une probabilité de perte de cellules consécutive à leur débordement. Cette perte dépend du nombre de flux multiplexés sur une même route, de la capacité des mémoires tampons placées sur cette route et de la nature des flux multiplexés. La taille des mémoires ainsi que le nombre de flux multiplexés sont déterminés en fonction de l'objectif de perte de cellules acceptable, toutes causes confondues. La figure 2.28 illustre un tel objectif pour différents flux d'information.

Les nombres indiqués dans ce tableau montrent une grande dispersion. Pour chacun des flux, ces valeurs doivent être assurées pour garantir une bonne qualité de service. La fourniture d'un grand nombre de classes est un moyen de garantir une bonne qualité de service pour chaque flux d'information spécifique. Cependant, l'accroissement du nombre de classes de service augmente la complexité du réseau.

	Format	Objectif
Voix de qualité téléphonique	CCITT G.711 PCM (64 kbit/s)	$< 10^{-3}$
Voix de haute qualité	CCITT G.727 SB-ADPCM (64 kbit/s)	$< 10^{-5}$
Télévision de qualité standard	Compression du signal (10 Mbit/s en moyenne)	$< 10^{-9}$
Télévision à haute définition	Compression du signal (100 Mbit/s en moyenne)	$< 10^{-10}$
Transmission de données	HDLC (de 64 kbit/s à 100 Mbit/s)	$< 10^{-6}$

Figure 2.28 - Objectif de taux de perte de cellules

L'utilisation du bit de priorité à l'écartement permet de tenir un objectif de perte de cellules, pour une classe de service donnée, en rejetant les cellules transportant des informations de moindre importance (voir page 29). Cette technique est possible pour des flux vidéo, par contre elle est plus difficile à mettre en oeuvre pour des transmissions de données où tous les bits ont *a priori* une importance égale.

2.6.2. Délai de transfert subi par les cellules

Le délai global subi par les cellules d'un flux d'information donné dépend de trois facteurs principaux :

T1, le temps de codage et de décodage ;

T2, le temps nécessaire à la segmentation et au réassemblage ;

T3, le temps de transfert au travers du réseau.

a) Codage et décodage de l'information

T1 dépend du type de codage utilisé : un codage de type G.711 (PCM à 64 kbit/s) n'ajoute que quelques millisecondes, alors qu'une technique plus sophistiquée produit moins d'information à transmettre, mais nécessite plus de temps pour le codage et le décodage (quelques dizaines de millisecondes).

b) Segmentation et réassemblage

Le temps T2 nécessaire à la segmentation et au réassemblage se décompose en deux facteurs : le délai de segmentation par l'émetteur (**T21**) et le retard (**T22**) introduit dans le récepteur pour compenser les variations du temps de transfert des cellules.

La segmentation en cellules de M octets d'information entraîne un délai T21 qui dépend du débit D (exprimé en bits par seconde), et peut être approximativement évalué par **8 M / D**. Ce délai diminue avec l'accroissement du débit.

Les cellules injectées à un rythme périodique par une source d'information ne sont pas restituées de façon périodique par le réseau (voir page 49). Le mode de transfert asynchrone introduit des variations sur les délais de transfert. Le récepteur doit les compenser, et donc ajouter un délai de restitution qui lui permet d'absorber les écarts les plus importants.

c) Transfert dans le réseau

Le temps T3 consécutif au transfert des cellules dans le réseau résulte du délai de propagation sur les supports de transmission (**T31**) et du temps (**T32**) de transit dans les noeuds de commutation.

T31, délai de propagation, est fonction de la distance, ainsi que du nombre et de la nature des supports physiques utilisés entre la source et la destination. Une transmission sur fibre optique introduit un délai d'environ 5 ms pour 1000 km. La distance terrestre la plus longue engendre un délai qui n'excède pas 50 ms, à comparer aux 300 ms d'une liaison par satellite.

T32 inclut le temps d'attente des cellules dans les mémoires tampons et le temps d'insertion sur les supports physiques de transmission. Ce temps est une fonction directe du débit utilisé (environ 3 µs par cellule à 155,520 Mbit/s). Le temps d'attente des cellules dans les mémoires tampons dépend du dimensionnement des noeuds : un remplissage moyen de 100 cellules introduit un temps d'attente moyen de 300 µs par noeud (100 fois 3 µs). Le retard global dépend alors du nombre de noeuds traversés.

d) Objectif de délai global

La voix est le flux d'information qui génère l'objectif de délai le plus contraignant : soit **T0** la valeur de cet objectif. Parmi les composantes du délai global décrites ci-dessus, deux sont variables et influencent le dimensionnement du réseau (nombre et capacité des liaisons et des noeuds de commutation) :

T22, le temps de compensation des variations du délai de transfert ;

T32, le temps d'attente dans les mémoires tampons des noeuds de commutation.

Quant aux autres composantes (T1, T21 et T31), elles sont plus ou moins fixes et connues pour un environnement déterminé. T22 et T32 devront donc être choisis de façon à vérifier l'inéquation suivante :

T22 + T32 < T0 - T1 - T21 - T31

CHAPITRE 3

Commutateurs ATM

3.1. Introduction

Un réseau complexe est constitué de commutateurs interconnectés. Le rôle d'un commutateur est d'établir une connexion entre un port d'entrée et un port de sortie, en fonction d'une information de routage. Avant de décrire les contraintes spécifiques d'ATM, il convient de rappeler les principes et les limitations des modes conventionnels de commutation.

3.1.1. Commutation de circuits

La technique dite "spatiale" consiste à relier physiquement, pour toute la durée d'une communication (téléphonique, par exemple), un port d'entrée du commutateur et un port de sortie. Cette technique introduit un retard constant et très faible, car le commutateur n'effectue aucun stockage de l'information.

La commutation temporelle synchrone utilise des intervalles de temps affectés aux voies à commuter. Elle fonctionne avec des supports multiplexés dans le temps selon une structure de trame fixe. L'information correspondant à un intervalle de temps d'un multiplex d'entrée est stockée temporairement, puis restituée régulièrement vers un (ou plusieurs) multiplex de sortie, dans une trame équivalente, mais dans un intervalle de temps différent, choisi par le commutateur. La correspondance entre intervalles de temps de ces multiplex, qui réalise la commutation entre voies d'entrée et de sortie, est indépendante de l'utilisation de ces voies et les débits ne dépendent pas des sources d'information, mais uniquement des caractéristiques du système de multiplexage utilisé (débit, structure de trame).

3.1.2. Commutation par paquets

Il s'agit ici d'une commutation temporelle asynchrone : les paquets, constitués de blocs de données accompagnés d'un pointeur contenu dans l'en-tête, sont reçus sur les liens d'entrée du commutateur à un débit qui ne dépend que de la source. Chaque paquet est stocké puis présenté sur le lien de sortie déterminé par l'information de routage contenue dans une table, dont l'accès dépend de la valeur du pointeur. Le temps de stockage, et donc le retard subi par le paquet, est variable du fait du partage statistique des ressources.

Un service de datagrammes est caractérisé par le fait que les paquets sont commutés indépendamment les uns des autres, selon leur adresse explicite de destination, et qu'aucun marquage préalable n'est nécessaire. Par contre, dans le cas d'un service de type "voie logique", pour lequel le maintien en séquence des paquets doit être assuré, la technique utilisée consiste à faire suivre le même chemin aux paquets d'une connexion donnée, identifiée par une concaténation de pointeurs. En effet, dans un réseau complexe, plusieurs chemins peuvent être possibles entre une entrée et une sortie données.

La fonction de commutation est généralement réalisée par un logiciel. D'autres fonctions, telles que le contrôle de flux ou les reprises en cas d'erreur, peuvent être assurées par le même processeur ou, au contraire, décentralisées aux accès. Les performances habituelles sont de quelques milliers de paquets commutés par seconde, avec un débit composite global de quelques Mbit/s ; le retard introduit est de l'ordre de 10 ou 100 ms.

De tout autres caractéristiques sont demandées à un commutateur ATM :

- des débits d'accès très élevés conduisant à un débit global de plusieurs Gbit/s ;
- plusieurs millions de cellules commutées par seconde ;
- un retard peu important (inférieur à 1 ms) et stable, de manière à assurer une émulation de circuit ;
- un taux de perte de cellules très faible.

Cela n'est possible que grâce à un **moyen de commutation** *(switch fabric)* réalisé sous forme matérielle et faisant appel à un fort degré de parallélisme. Ce moyen de commutation peut être composé de plusieurs **éléments de commutation** identiques, éventuellement organisés selon une structure à plusieurs étages.

3.2. Fonctions d'un commutateur ATM

Outre l'**analyse** et la **modification de l'en-tête** (nouvelles valeurs de VPI/VCI), un commutateur ATM fournit essentiellement deux fonctions, décrites ci-après (voir figure 3.29) :

- **routage** (ou **acheminement**) des cellules vers les ports de sortie appropriés ;
- stockage temporaire des cellules.

Le commutateur doit également gérer plusieurs flux de cellules différenciés par des niveaux de **priorité** et fournir un traitement préférentiel aux cellules de haute priorité (en mettant en oeuvre, par exemple, des files d'attente spécialisées par niveau de priorité).

Enfin, certains services ATM nécessitent la **diffusion** de cellules issues d'une même source : diffusion globale *(broadcast),* vers toutes les destinations, ou restreinte *(multicast),* vers un ensemble prédéterminé d'accès destinataires. Il est bien certain que la source elle-même pourrait fournir des copies distinctes de chacune des cellules à diffuser : ces copies seraient acheminées comme autant de flux indépendants, ce qui conduirait à un gaspillage de bande passante et nécessiterait en outre que la source connaisse la liste complète des adresses de destination.

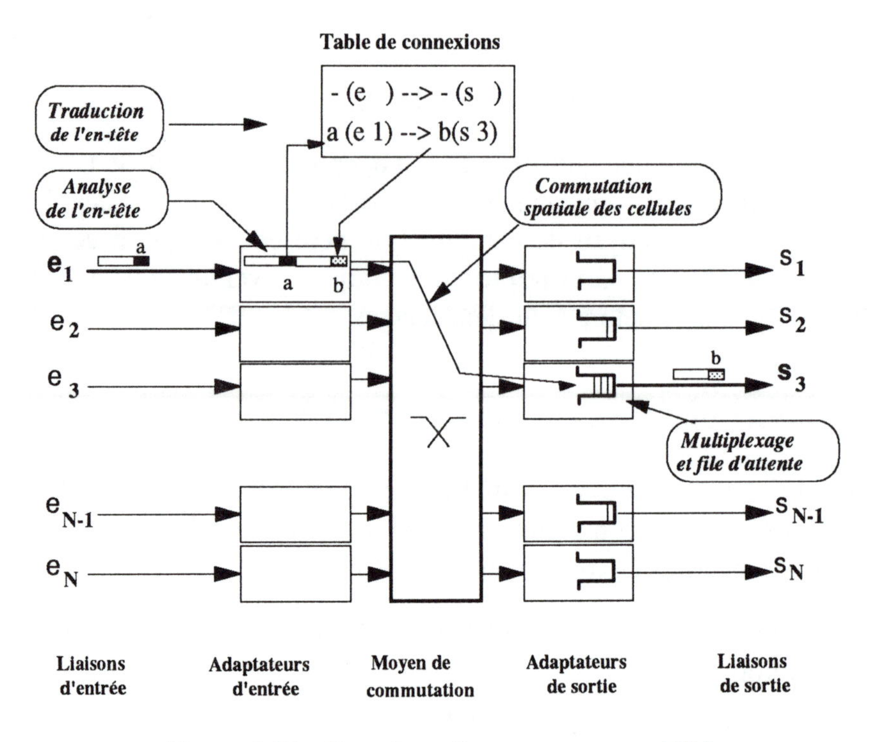

Figure 3.29 - Fonctions d'un commutateur ATM

Une méthode plus efficace consiste à repousser le plus possible en aval le point de duplication des cellules : à partir d'une information particulière (adresse de diffusion), un commutateur ATM doit être capable de générer sur plusieurs ports de sortie des répliques d'une même cellule.

Comme l'indique schématiquement la figure 3.29, la gestion de l'en-tête est en général réalisée par les adaptateurs d'entrée du commutateur, en charge de récupérer les flux de cellules valides sur les liens d'entrée. Le routage est effectué par le moyen de commutation. Quant au stockage temporaire des cellules, il prend place dans les adaptateurs de sortie et/ou d'entrée, mais peut aussi être centralisé dans le moyen de commutation.

3.2.1. Routage des cellules

D'une manière générale, la relation nécessaire entre un port d'entrée et un port de sortie, qui détermine la route au travers du moyen de commutation, doit être connue au préalable et stockée dans la table de connexions. Cette information peut être traduite par un marquage qui établit un chemin spécifique pour le transfert des cellules relatives à la connexion considérée (**routage indirect**). Elle peut aussi être matérialisée par une étiquette qui, ajoutée aux cellules à véhiculer, leur permet de se diriger vers le port de sortie approprié (**routage autodirecteur**).

Le service ATM étant orienté connexion, le mode naturel de routage est de type indirect : l'en-tête de chaque cellule contient un pointeur (VPI/VCI) dont la valeur identifie la connexion, et qui n'a qu'une signification locale (voir page 26). L'itinéraire correspondant à cette connexion doit avoir été marqué explicitement dans chaque élément de commutation avant tout transfert d'information. Le routage des cellules vers le port de sortie adéquat s'effectue alors par consultation de table : à chaque valeur de VPI/VCI correspond un port de sortie et une nouvelle valeur de pointeur (voir figure 3.30). La taille d'une telle table est potentiellement très importante puisqu'une connexion est identifiée par 24 ou 28 bits dans l'en-tête de cellule.

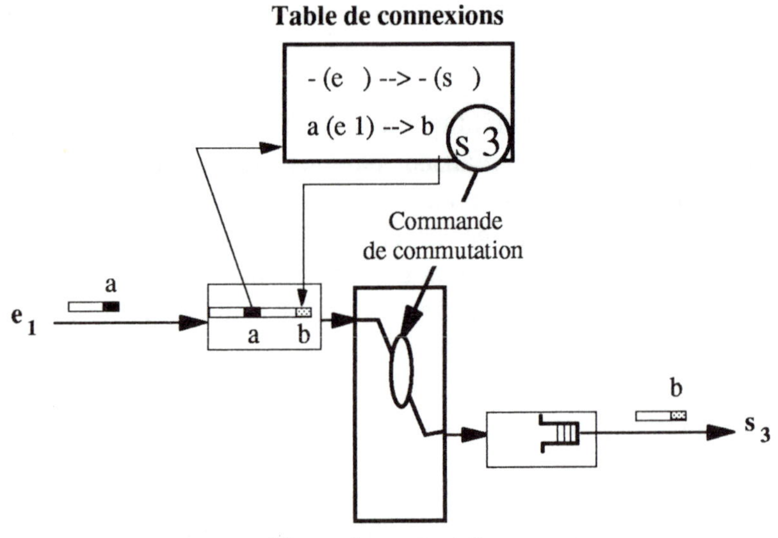

Figure 3.30 - Routage indirect dans un commutateur ATM

Une façon de réaliser ce routage consiste, au prix d'un surdébit, à utiliser un routage autodirecteur : à l'entrée de chaque commutateur (surtout s'il est constitué de plusieurs éléments de commutation), une étiquette supplémentaire de routage est ajoutée à chaque cellule. Elle décrit la route physique à faire suivre aux cellules et est matérialisée par une suite d'identificateurs d'éléments de commutation à traverser, et de ports de sortie à utiliser (voir figure 3.31).

Toutes les cellules relatives à une connexion donnée cheminent de la même manière et sont délivrées en séquence au récepteur. Les éléments de commutation traversés n'effectuent pas de marquage puisque la route est décrite de façon explicite dans chaque étiquette. Le contenu de cette dernière (parfois appelée "étiquette consommable") est amputé de l'information déjà utilisée au fur et à mesure de la progression de la cellule dans le commutateur (au lieu d'éliminer une partie de l'étiquette, il est également possible de modifier un pointeur qui en détermine la partie utile restante).

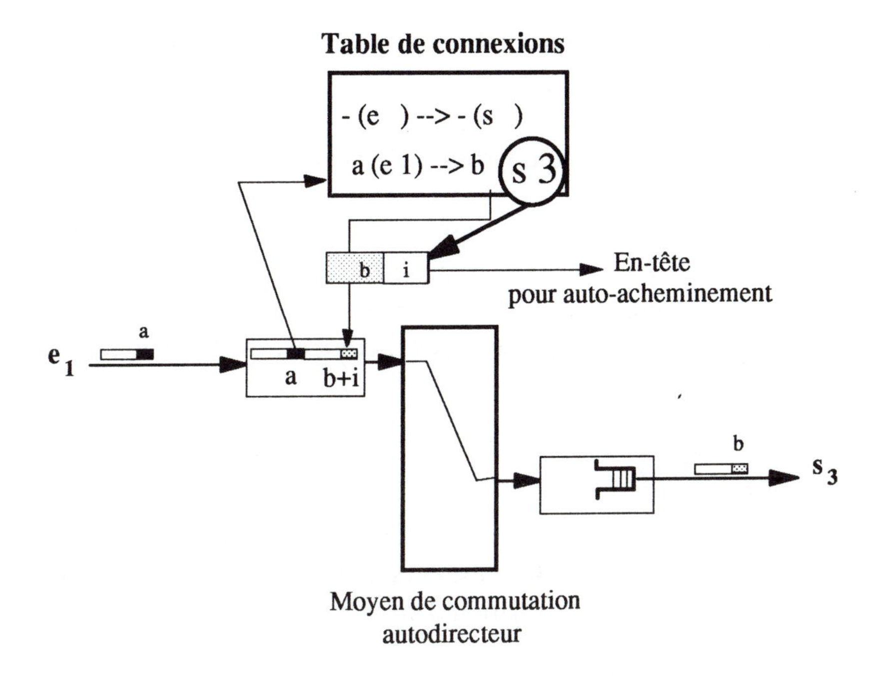

Figure 3.31 - Routage autodirecteur dans un commutateur ATM

3.2.2. Stockage temporaire des cellules

Certains moyens de commutation présentent des risques de blocage interne car il ne leur est pas toujours possible d'établir un chemin entre un port d'entrée et un port de sortie disponibles (c'est, en particulier, le cas des commutateurs de type Banyan décrits page 81). Il est alors intuitif de penser que, pour ne pas subir un taux de perte prohibitif, des moyens de stockage (files d'attente) sont indispensables en entrée ou à l'inté-rieur du commutateur.

Cependant, même en utilisant des moyens de commutation non bloquants, il est nécessaire de stocker temporairement les cellules pour résoudre la **contention en sortie**. En effet, du fait de la nature statistique du trafic entrant, il est possible que plusieurs cellules, reçues sur des ports d'entrée différents, soient en compétition pour accéder simultanément au même port de sortie.

Deux approches classiques sont en présence, en ce qui concerne l'emplacement des files d'attente : en entrée *(input queuing)* ou en sortie *(output queuing)* du commutateur. D'autres se rencontrent également mais elles peuvent, dans la plupart des cas, être vues comme des variantes ou des combinaisons des deux premières. Les paragraphes qui suivent décrivent ces méthodes, avec les hypothèses suivantes :

– le commutateur considéré est de type N x N (N ports d'entrée et N ports de sortie de même débit) ;

– les trafics aux entrées sont indépendants et statistiquement identiques ; ils sont uniformes, et chaque cellule a une probabilité égale à 1/N d'être à destination d'un port de sortie donné.

a) Stockage en entrée

À chaque port d'entrée est associée une file d'attente de type **FIFO** *(First In First Out)*. Une contention est détectée si j cellules ($j \leq N$) situées en tête de j files d'attente sont à destination de la même sortie. Cette approche est assez naturelle en ce sens qu'elle résout la contention en amont du moyen de commutation et ne lui fournit que des cellules qui peuvent atteindre leur destination (voir figure 3.32). Cependant, toutes les cellules qui suivent, dans les j - 1 files d'attente non servies, sont elles aussi bloquées, même si elles ont pour destination des ports de sortie qui sont libres à l'instant considéré.

Cet effet de blocage de tête (**HOL**, *Head Of Line blocking)* limite les performances du stockage en entrée. On peut montrer que, si N est grand, la charge offerte par le moyen de commutation ne peut pas excéder une valeur égale à $2 - \sqrt{2}$, soit environ 0,58, quel que soit l'algorithme d'arbitrage des files d'attente (aléatoire, cyclique...), dans la mesure où il est équitable (il est à noter que pour N = 4, la charge maximale est déjà limitée à 0,65).

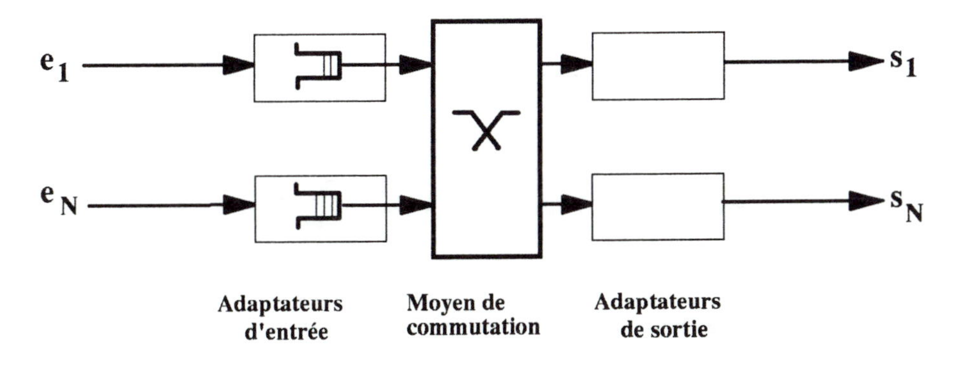

Figure 3.32 - Stockage de cellules en entrée

La méthode de stockage en entrée est peu appropriée aux fonctions de diffusion, du fait de l'absence de files d'attente en sortie. Par ailleurs, elle est très sensible aux charges d'entrée non équilibrées (trafics non uniformes). Par contre, elle présente l'avantage d'être très simple et de ne pas nécessiter un rythme de fonctionnement du moyen de commutation supérieur au débit d'accès.

Des performances supérieures peuvent être atteintes au prix d'un surcroît de complexité, par exemple en augmentant le rythme interne du moyen de commutation. Une autre amélioration consiste à trier préalablement les cellules en entrée selon leur destination, ce qui conduit à gérer N files d'attente par port d'entrée (une par port de sortie).

b) Stockage en sortie

Dans cette approche, une file d'attente (FIFO) est associée à chaque port de sortie (voir figure 3.33). Toutes les cellules présentes aux ports d'entrée à un instant donné traversent simultanément le moyen de commutation, puis sont stockées. Comme toutes ont potentiellement la même destination, N cellules doivent pouvoir alors être stockées dans la file d'attente relative au port de sortie concerné.

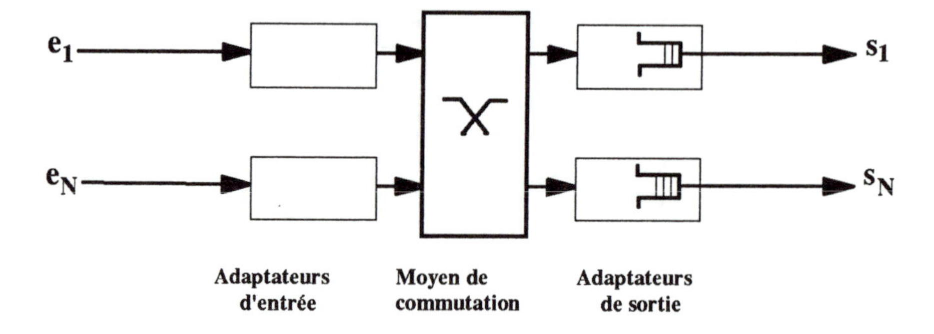

Figure 3.33 - Stockage de cellules en sortie (files d'attente de taille illimitée)

Des files d'attente rapides de type conventionnel sont utilisables si le rythme interne du moyen de commutation est N fois plus élevé que le débit des ports. Inversement, un parallélisme important peut permettre de réaliser le stockage dans des files multiports sans nécessiter un rythme de fonctionnement du moyen de commutation supérieur au débit d'accès. Dans l'un ou l'autre cas, si les files d'attente sont de taille illimitée, l'utilisation du moyen de commutation est optimale, et aucun stockage en entrée n'est nécessaire puisqu'il ne peut survenir aucun blocage. Cette technique est par ailleurs bien adaptée aux fonctions de diffusion et n'est pas très sensible aux déséquilibres de charge en entrée. Sa mise en oeuvre est cependant particulièrement complexe.

En termes de débit offert ou de temps de retard, on peut montrer que les performances sont pratiquement inchangées dès que les files d'attente en sortie ont une taille suffisante pour contenir une dizaine de cellules. En effet, on admet que statistiquement les rafales à destination d'un port donné sont de courte durée. Par contre, le taux de perte dû au débordement peut ne pas être négligeable et nécessiter des files d'attente complémentaires en entrée (voir figure 3.34) ; la taille de ces dernières dépend des caractéristiques réelles du trafic et du taux de perte admissible.

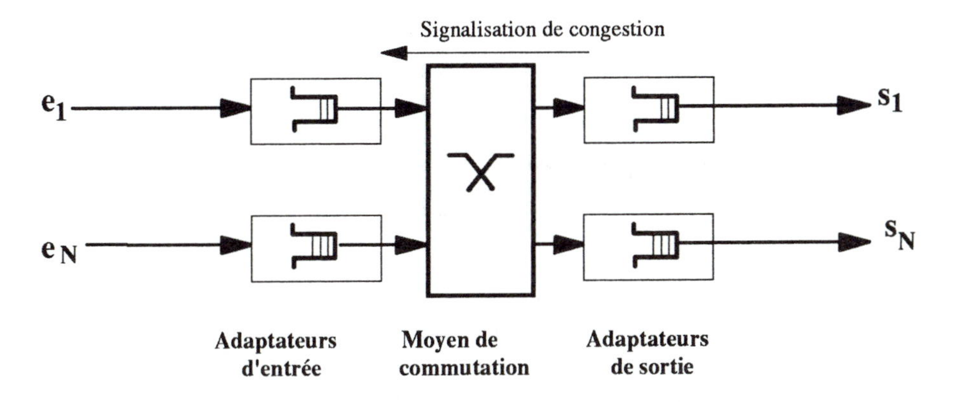

Figure 3.34 - Stockage de cellules en sortie (files d'attente de taille limitée)

Une signalisation de congestion *(backpressure)* peut permettre aux cellules de rester stockées en entrée tant que les files d'attente de sortie visées sont pleines. Ce stockage en amont des cellules en excès subit l'effet de blocage de tête *(HOL blocking)*.

Une amélioration intéressante consiste à considérer toutes les files d'attente en sortie, chacune de taille limitée, comme un seul ensemble d'éléments de stockage *(buffers)* alloués dynamiquement (voir figure 3.35).

Un tel stockage centralisé permet, pour un même degré de performances, de diviser par 3 ou 4 la taille totale de la mémoire de stockage nécessaire, en comparaison avec la technique des files d'attente dédiées par sortie. En effet, un port de sortie surchargé peut temporairement faire usage de plus d'éléments de stockage, ce qui réduit statistiquement l'utilisation des files d'attente complémentaires en entrée. Cet effet de multiplexage statistique est d'autant plus marqué que le nombre N de ports est important.

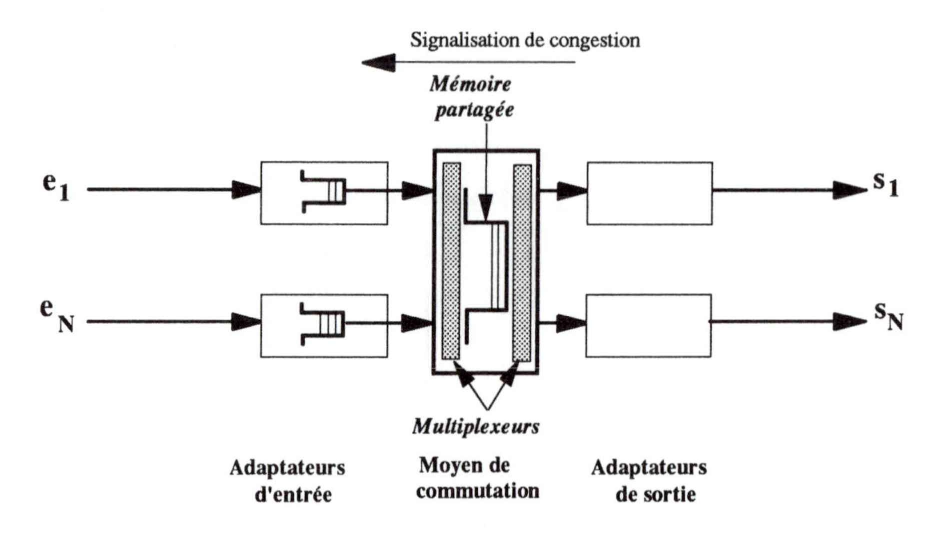

Figure 3.35 - Stockage centralisé des cellules

3.3. Types de moyens de commutation

En ce qui concerne leur architecture, les commutateurs ATM peuvent être classés en deux catégories : les commutateurs à ressource partagée et les commutateurs à répartition spatiale.

3.3.1. Commutateurs à ressource partagée

Leur principe consiste en un multiplexage de tous les flux d'entrée vers une ressource commune de très grande capacité.

Certains moyens de commutation, organisés autour d'une **mémoire partagée**, mettent à profit les avantages du stockage centralisé décrit ci-dessus. La gestion de cette mémoire unique est complexe et sa bande passante importante, ce qui nécessite un fort parallélisme pour s'affranchir des contraintes technologiques.

D'autres utilisent un **support partagé** qui connecte les ports d'entrée aux files d'attente associées aux ports de sortie. Ce support est réalisé habituellement sous la forme d'un bus ou d'un anneau transportant plusieurs bits en parallèle.

3.3.2. Commutateurs à répartition spatiale

Les commutateurs de cette catégorie sont caractérisés par la coexistence de chemins simultanés entre ports d'entrée et de sortie.

Dans le cas des commutateurs de type **Crossbar**, développés primitivement pour la commutation de circuits, le moyen de commutation à N entrées et N sorties comporte N^2 points de croisement et ne présente pas de blocage interne : il est toujours possible d'établir un chemin entre un port d'entrée et un port de sortie libres, et des chemins simultanés peuvent être établis entre paires de ports disjointes. La contention en sortie est résolue par un stockage en entrée ou dans les points de croisement eux-mêmes : cette dernière technique s'apparente à un stockage en sortie réparti, avec cependant l'inconvénient que la capacité globale de stockage ne peut pas être partagée dynamiquement.

Les commutateurs de type **Banyan** ont l'avantage de ne nécessiter que $(N/2).\log_2 N$ éléments de commutation pour former une matrice à N entrées et N sorties. Par exemple, une matrice 8 x 8 nécessite 12 éléments de commutation organisés en 3 étages de 4 éléments. Ces derniers sont de type 2 x 2 et réalisent, pour chaque entrée, la connexion avec l'une des deux sorties, en fonction d'un bit d'adresse de destination de la cellule (routage autodirecteur). Cependant, un tel moyen de commutation peut présenter des blocages internes : il n'existe qu'un chemin entre une entrée et une sortie données et des contentions sont possibles pour l'utilisation d'un lien interne.

Des solutions conventionnelles de stockage en entrée ou à l'intérieur des éléments de commutation sont possibles, mais on peut montrer également qu'un réseau Banyan n'est pas bloquant si ses entrées sont ordonnées par rapport aux sorties, dans la mesure où il n'y a pas plus d'une cellule par port de sortie. Une telle fonction de tri est réalisable à l'aide d'un réseau de commutation supplémentaire (réseau **Batcher**) placé en tête du réseau Banyan. Une technique de résolution de la contention en sortie, lorsque plusieurs cellules sont à destination du même port, consiste à ne laisser passer que l'une d'entre elles et à renvoyer les autres à l'entrée du réseau pour un nouveau tri.

CHAPITRE 4

RNIS à large bande

4.1. Généralités

Le Réseau numérique à intégration de services (RNIS) à large bande a pour objet de transporter tous types d'information (voix, son, vidéo, texte, image et données) sur un réseau unique. La mise en place d'un nombre limité d'interfaces reste un objectif essentiel de ce réseau dont la vocation est, par nature, multiservice. Dans ce contexte, la technologie ATM est particulièrement bien adaptée pour fournir les fonctions de multiplexage et commutation. Les services devraient être disponibles sur des connexions virtuelles établies en permanence ou à la demande, c'est-à-dire appel par appel. La disponibilité de services en mode non connecté est également envisagée.

En ce qui concerne les fonctions de transmission, la fibre optique apparaît comme le support physique indispensable pour fournir capacité et performances en rapport avec les services à haut débit. La transmission numérique synchrone, évoquée page 40, constitue le complément naturel de la mise en place du RNIS à large bande : ce système SDH va être utilisé en tant que couche physique du réseau, alors que l'ATM permettra d'optimiser le remplissage de ces supports et de fonder l'offre de services.

L'introduction d'un tel réseau universel ne peut être que progressive. Les conditions d'interfonctionnement avec les réseaux antérieurs constituent une condition primordiale du succès du RNIS à large bande.

4.2. Architecture du RNIS à large bande

L'architecture du RNIS à large bande repose sur le concept de séparation en plans, afin d'assurer une ségrégation en trois groupes de fonctions : utilisateur, contrôle et gestion (voir figure 4.36).

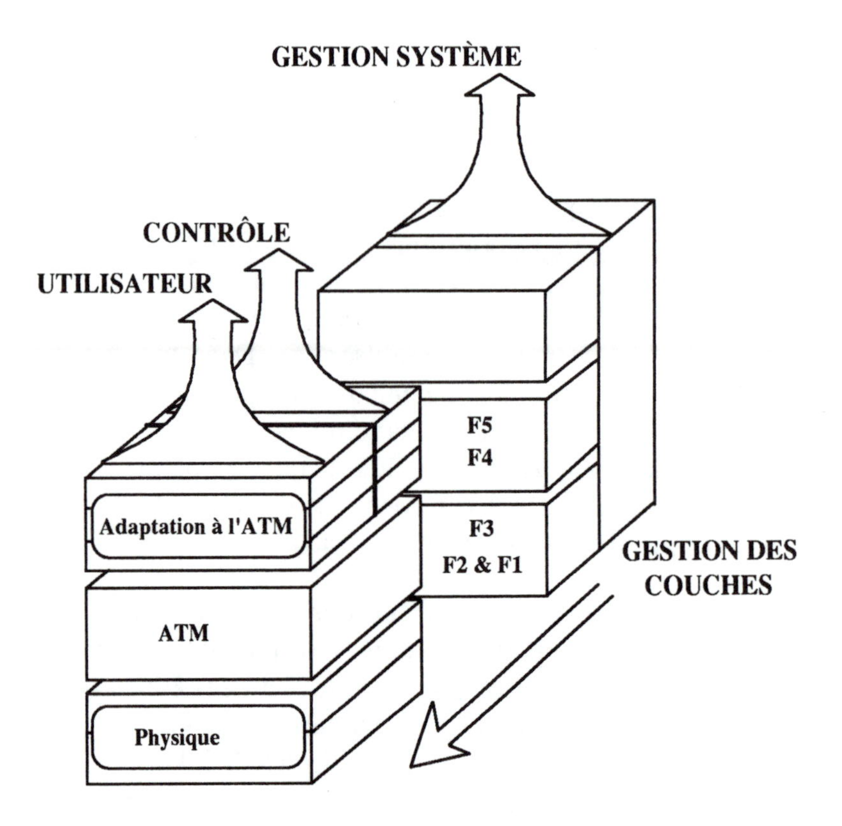

Figure 4.36 - Séparation en plans des fonctions

Outre cette ségrégation en plans des strates de protocoles utilisées, le RNIS à large bande repose sur une segmentation du réseau qui s'inspire largement de son prédécesseur, le RNIS à bande étroite (voir figure 4.37), où deux sous-réseaux contribuent au support des services :

– le réseau de distribution entre l'abonné et son commutateur local de raccordement, qui peut utiliser un flux continu de cellules ou une trame numérique synchrone ;

– le réseau dorsal, qui interconnecte les commutateurs locaux par des transmissions numériques synchrones.

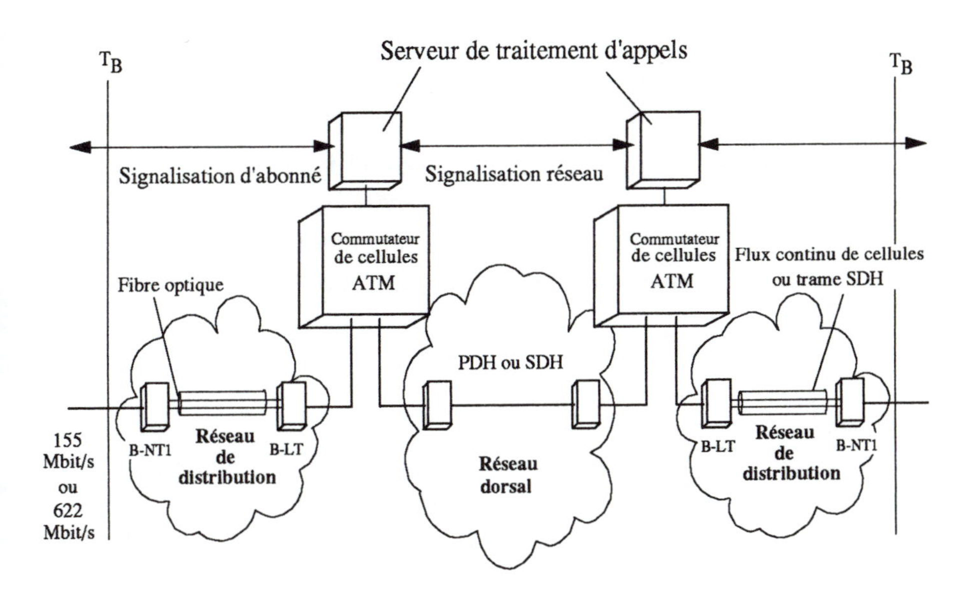

Figure 4.37 - Architecture du RNIS à large bande

Ségrégation des strates protocolaires en plans et segmentation du réseau en sous-réseaux conduisent à deux modèles de référence, qui vont être abordés ci-dessous.

4.2.1. Modèle de référence pour les configurations

L'utilisation d'un modèle de référence est d'une grande commodité pour décrire un environnement complexe. Ce modèle, hérité du RNIS à bande étroite, comprend des groupements fonctionnels entre lesquels sont identifiés des points de référence, matérialisés ou non par des interfaces physiques.

Trois groupements fonctionnels principaux ont été définis à la frontière entre le réseau de distribution et le domaine de l'utilisateur abonné aux services offerts par le RNIS à large bande. Deux d'entre eux interviennent de part et d'autre de la liaison de raccordement :

- côté central, l'équipement terminal **B-LT** *(Broadband Line Termination* ou Terminal de ligne à large bande), qui connecte à la liaison optique le commutateur à large bande ;
- côté abonné, l'équipement terminal **B-NT1** *(Broadband Network Termination 1* ou Terminaison numérique de réseau à large bande), qui permet le raccordement de l'**installation d'abonné** et constitue le dernier élément du réseau de distribution.

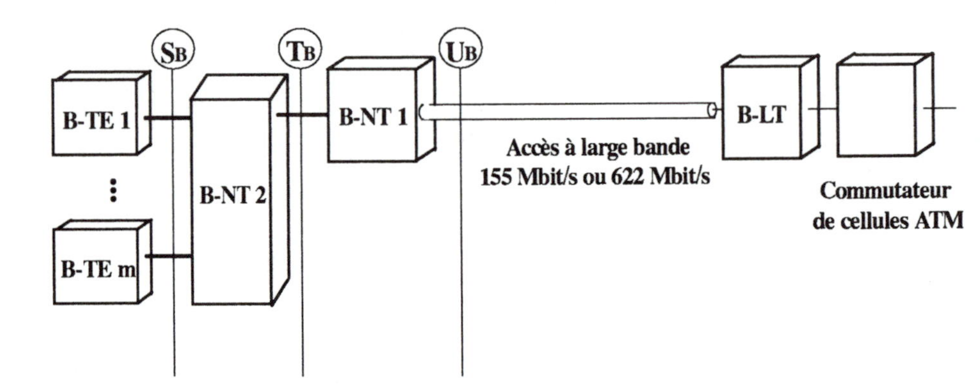

Figure 4.38 - Raccordement au RNIS à large bande

L'équipement terminal de ligne B-NT1 permet de connecter cette installation au réseau par une interface au point de référence $\mathbf{T_B}$. L'installation d'abonné est constituée par un ensemble de terminaux (**B-TE**, *Broadband Terminal Equipment)* raccordés directement au réseau ou par l'intermédiaire d'organes de commutation (**B-NT2**, *Broadband Network Termination 2* ou Terminaison numérique d'abonné). La figure 4.38 illustre la configuration de référence d'un raccordement à large bande.

La terminaison numérique d'abonné (B-NT2) constitue l'ossature de l'installation d'abonné et recouvre un nombre important de fonctions :

- gestion des interfaces aux points de référence S_B et T_B ;
- gestion des supports partagés, tels que les réseaux locaux d'établissement ;
- gestion de la signalisation entre l'abonné et le central de raccordement ;
- détermination du profil de trafic et attribution des ressources ;
- commutation et multiplexage des cellules ATM ;
- adaptation des flux d'information au format des cellules ATM ;
- support des communications internes et filtrage des communications entrantes et sortantes de l'installation d'abonné.

Un **PBX** *(Private Branch eXchange)* à large bande, un multiplexeur de flux de données, un contrôleur de communications sont des exemples d'équipements qui peuvent accueillir un tel groupement fonctionnel (B-NT2).

Un moyen d'adaptation (**B-TA**, *Broadband Terminal Adapter)* permet de connecter les terminaux qui ne sont pas compatibles avec l'interface au point de référence S_B.

4.2.2. Modèle de référence pour les protocoles

Le modèle de référence pour les protocoles permet de mieux appréhender la répartition des fonctions dans cet environnement fondé sur l'ATM. La figure 4.36 page 84 illustre le rapport qui existe entre les plans et les couches. Ce modèle introduit trois plans :

– le plan de l'utilisateur, en charge des flux d'information générés, avec détection et récupération des erreurs si nécessaire ;

– le plan de contrôle, qui gère les appels et les connexions nécessaires à ces derniers : il inclut, à cet effet, le support du système de signalisation utilisé pour le raccordement d'abonné (voir page 92) ;

– le plan de gestion, qui contribue à la gestion des différentes strates de protocoles *(Layer Management)* et à l'administration du système *(System Management)*.

Cette architecture répartie en plans repose également sur trois couches communes :

– la couche physique, qui dépend directement du système de transmission ;

– la couche ATM, qui utilise les services de la couche physique et fournit les fonctions de commutation, multiplexage et routage des cellules ;

– la couche d'adaptation, qui fournit un service en relation directe avec les flux en provenance du plan de contrôle ou du plan de l'utilisateur.

La couche d'adaptation réside dans un terminal (B-TE) ou dans une terminaison numérique d'abonné (B-NT2). Elle se trouve également dans les commutateurs du réseau pour les services d'interfonctionnement où elle assure l'interface avec le plan de contrôle.

4.2.3. Points de référence

Le point de référence T_B délimite, au moins en Europe, la frontière entre le domaine de l'opérateur et celui de l'utilisateur. Le point de référence U_B devrait jouer ce rôle dans le cadre de la libéralisation en cours qui ouvre à la concurrence tous les équipements d'abonnés. Faute de définition, le point U_B ne sera pas abordé dans ce chapitre. Au-delà du point T_B, l'installation d'abonné requiert le plus souvent une structure de distribution pour atteindre les terminaux. Ces deux notions vont être abordées séparément :

– l'interface au point de référence T_B ;

– la structure de la distribution chez l'abonné dans le cadre du RNIS à large bande.

a) Interface au point de référence T_B

Le RNIS à large bande met en oeuvre une nouvelle génération de raccordement usager-réseau, basée en principe sur la fibre optique dans le réseau de distribution. Les caractéristiques de l'interface au point de référence T_B sont les suivantes :

– l'interface peut être électrique (câble coaxial) ou optique (fibre monomode) ;

– le débit réel est de 155 520 ou de 622 080 kbit/s ;

– la structure de l'interface est constituée d'un flux continu de cellules ATM ou de trames synchrones de type G.709 ;

– le codage des signaux est de type **CMI** *(Coded Mark Inversion)* pour une interface électrique ou **NRZ** *(Non Return to Zero)* pour une interface optique.

Cet ensemble de variantes conduit à plusieurs interfaces au point de référence T_B, compte tenu des choix possibles entre structures d'interfaces (trames synchrones ou flux continu de cellules) et technologies de transmission (électrique ou optique).

b) Structure de distribution

Deux modes de raccordement permettent de connecter plusieurs terminaux à un accès numérique à large bande :

- le raccordement de chaque terminal (B-TE) à un organe unique qui assure les fonctions de commutation (B-NT2) ;
– le raccordement basé sur des fonctions de commutation distribuées dans les terminaux, eux-mêmes répartis le long d'un bus ou d'un anneau.

Ces deux modes de raccordement conduisent à trois types de topologies pour la structure de distribution chez l'abonné : étoile, bus ou anneau, comme l'illustre la figure 4.39.

Les configurations en bus ou en anneau sont réalisées au moyen d'un canal de transmission partagé. Les quatre premiers bits de l'en-tête de la cellule ATM à l'interface entre usager et réseau (UNI) sont destinés au protocole chargé du partage équitable du support de transmission permettant d'écouler le trafic issu des terminaux actifs. Ces bits sont appelés **GFC** *(Generic Flow Control)*. Il existe deux modes d'opération :

– le **mode non contrôlé**, où les bits GFC sont ignorés à la réception et mis à zéro en émission. Ils permettent le support d'une **configuration point-à-point** ;
– le **mode contrôlé**, où deux groupes de protocoles sont considérés : les protocoles de type DQDB et ceux à caractère cyclique. À ce jour, aucun consensus n'a pu être dégagé en vue d'une normalisation et plusieurs propositions restent à l'étude. Ce mode permet le support d'une **configuration point-à-multipoint**.

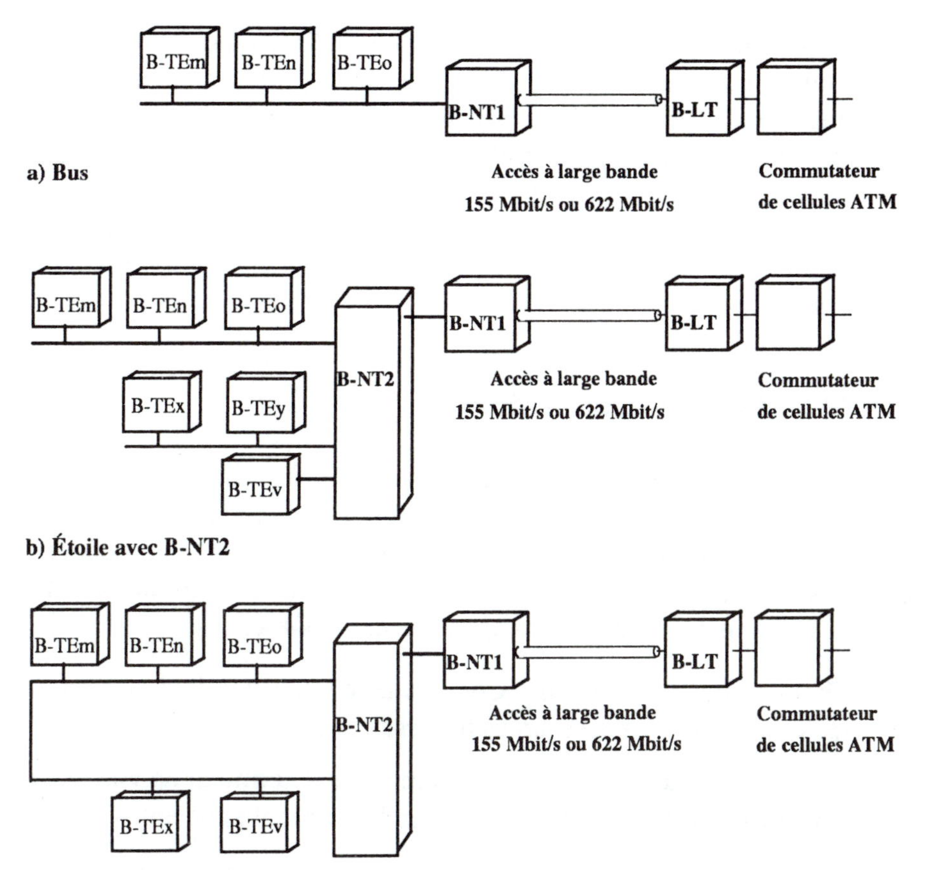

Figure 4.39 - Structure de distribution chez l'abonné

Ces diverses structures coexistent dans la mesure où le choix résulte toujours d'un compromis technico-économique qui dépend entre autres :

- du nombre et du type de terminaux ;
- de la nature du site (campus, tour, local isolé...) ;
- de la gestion des équipements ;
- des caractéristiques technologiques.

Que la fonction de commutation soit centralisée ou distribuée, elle offre une interface au point de référence S_B indépendante de la structure de distribution (voir figure 4.39). La définition de cette interface fait encore l'objet de travaux de normalisation. Le débat reste ouvert entre des caractéristiques identiques à celles disponibles au point de référence T_B (option retenue par le RNIS à bande étroite) et des débits nettement inférieurs, plus adaptés aux besoins des terminaux.

4.3. Systèmes de signalisation

La gestion très souple du débit attribué à chaque connexion virtuelle constitue l'une des principales caractéristiques de la technique ATM. En particulier, l'ATM autorise une procédure d'établissement d'appel qui optimise l'utilisation des ressources du réseau. Cet appel peut être décomposé en deux phases :

- l'établissement d'une connexion virtuelle entre terminal et réseau, sans allocation des ressources nécessaires ;
- l'allocation des ressources, uniquement si le terminal appelé est à la fois disponible et compatible avec le terminal appelant.

L'allocation de ces ressources est sous le contrôle de deux systèmes de signalisation qui englobent la syntaxe et la sémantique des informations échangées entre usager et réseau ou entre noeuds du réseau. Ces informations, qui ont longtemps été limitées à des signaux rudimentaires, ont pris la forme de messages structurés sur les réseaux numériques, et en particulier sur le RNIS à bande étroite.

Entre le raccordement d'abonné et le central local, le système de signalisation est une variante étendue du protocole utilisé par le RNIS à bande étroite, à savoir **DSS-1** *(Digital Signalling System-1)*. DSS-1 contient deux niveaux de protocole : Q.921 et Q.931. Le protocole de liaison de données Q.921, qui assure le transport des messages de signalisation au format Q.931, n'est pas assez performant pour des connexions à haut débit et sera remplacé par un protocole mieux adapté à cet environnement. Ce nouveau protocole, appelé **SSCOP** *(Service Specific Connection Oriented Protocol),* utilisera une nouvelle couche d'adaptation, appelée **SAAL** *(Signalling ATM Adaptation Layer),* dont les caractéristiques principales devraient être dérivées d'AAL 3/4 ou d'AAL 5.

Le protocole Q.931 va être étendu et devenir Q.93B pour tenir compte des caractéristiques des services à large bande. Une connexion virtuelle séparée sera utilisée pour véhiculer cette signalisation entre le raccordement d'abonné et le central local. La figure 4.40 illustre la relation entre les couches de signalisation et d'adaptation.

L'avènement du RNIS à bande étroite a conduit à la généralisation d'un système de signalisation spécifique entre noeuds de réseau : le Système de signalisation n° 7 (**SS-7**). Ce système de signalisation interne au réseau devrait également être modifié pour tenir compte des caractéristiques des services à large bande. Le protocole **ISUP** *(Integrated Service User Part* ou Q.767), l'équivalent de Q.931 pour le SS-7, va être étendu pour devenir **B-ISUP**.

Le protocole SSCOP, déjà utilisé pour transporter le protocole Q.93B entre l'abonné et le réseau, sera également utilisé pour transporter le protocole B-ISUP. La reconduction des choix techniques effectués pour le RNIS à bande étroite présente deux avantages significatifs :

- capitalisation de l'expérience acquise sur le RNIS à bande étroite en matière de signalisation ;
- interfonctionnement plus aisé entre le RNIS à bande étroite et le RNIS à large bande.

La mise en oeuvre de la connexion virtuelle supportant le protocole de signalisation entre l'abonné et son central de raccordement dépend de la configuration de l'installation de ce dernier. Dans une **configuration** dite **point-à-point**, où un seul équipement (B-NT2 ou B-TE) est connecté à l'interface au point de référence T_B, une connexion virtuelle permanente est utilisée : la voie virtuelle numéro 5 sur le faisceau virtuel numéro 0.

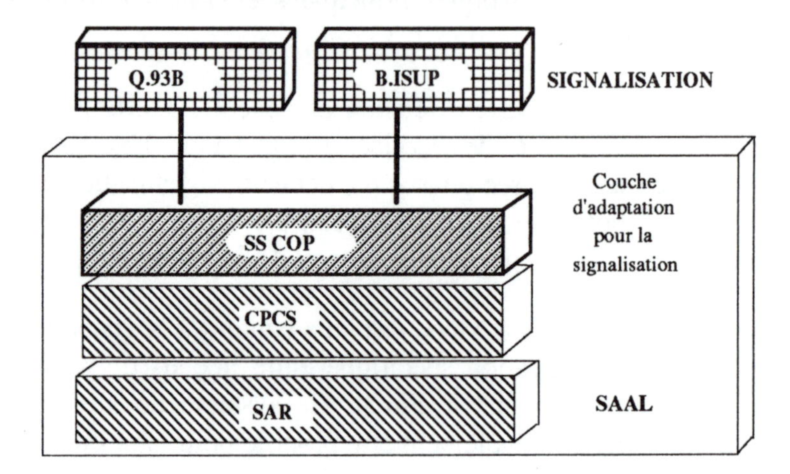

Figure 4.40 - Relation entre systèmes de signalisation et couche d'adaptation

Par contre, si la configuration autorise le partage de l'accès numérique par plusieurs équipements (**configuration** dite **point-à-multipoint**), une procédure de **métasignalisation** est nécessaire pour gérer cette configuration. L'échange s'effectue sur un métacanal caractérisé par la voie virtuelle numéro 1 (sur le faisceau virtuel numéro 0). De plus, une voie virtuelle de diffusion de signalisation (**BSVC**, *Broadcast Signalling Virtual Channel)* permet de présenter un appel entrant à tous les équipements de la configuration "multipoint" afin que ces derniers déterminent leur niveau de compatibilité avec l'équipement appelant. Ce canal de diffusion est identifié par la voie virtuelle numéro 2 sur le faisceau virtuel numéro 0. Il existe donc un métacanal et un canal de diffusion par interface. Ce nombre peut être augmenté en faisant varier le numéro de faisceau virtuel.

La procédure de métasignalisation, en cours de normalisation par le CCITT (Q.142X), est semblable à l'attribution d'un identificateur de terminal (**TEI**, *Terminal End-point Identifier)* sur le bus passif du RNIS à bande étroite. Tout comme cette dernière, elle est gérée par le plan de gestion et non par le plan de contrôle. Ses principales fonctions sont les suivantes :

- établissement, libération et vérification de l'état des voies virtuelles de signalisation ;
- résolution des contentions dans l'attribution des identificateurs de faisceaux et voies virtuels de signalisation ;
- gestion du débit affecté aux voies virtuelles de signalisation.

4.4. Services offerts par le RNIS à large bande

On retrouve ici encore les principes du RNIS : services support, téléservices et compléments de service. Les services support sont fondés sur le mode de transfert asynchrone qui traite tout type de flux d'information comme une succession de cellules ATM, accompagnée des fonctions d'adaptation appropriées.

Cette architecture permet d'offrir au travers de l'interface à large bande les services support suivants :

- un service de circuit virtuel, permanent ou à la demande, mais dont la bande passante est réservée (émulation de circuit) ;
- un service de circuit virtuel, permanent ou à la demande, dont la bande passante est allouée statistiquement (équivalant à la commutation par paquets) ;
- un service de datagrammes basé sur un adressage E.164.

Ces services existent en général aujourd'hui sur des réseaux spécifiques au débit limité. Leur disponibilité au travers d'une seule interface devrait faciliter l'introduction de communications multimédias.

Cependant, compte tenu des investissements nécessaires, l'introduction du RNIS à large bande sera graduelle. Toute introduction de service doit concilier deux objectifs contradictoires pour son exploitant :

– le développement d'une offre ne peut reposer que sur un réseau ayant une couverture géographique importante ;

– l'investissement initial ne peut excéder la réalité de la demande pour ne pas compromettre la viabilité financière du développement.

La phase de démarrage du RNIS à large bande ne peut donc reposer que sur des services dont la demande est à la fois limitée en termes de population et bien circonscrite du point de vue géographique.

4.4. Projets pilotes

En 1994, l'opérateur allemand, Deutsche Bundespost Telekom, mettra en service pour expérimentation trois commutateurs ATM, à Berlin, Cologne et Hambourg, fournis par Siemens, Alcatel/SEL et Ericsson. Ce réseau expérimental inclura deux réseaux métropolitains déjà opérationnels utilisant la technologie DQDB (voir figure 4.41). L'ensemble va servir de base au développement progressif d'un réseau à large bande, national puis international : l'interconnexion avec le réseau français est prévu pour fin 1994.

Outre un autocommutateur ATM, chaque site comprendra deux unités éloignées, un serveur en mode sans connexion et des terminaux. Les unités ATM éloignées serviront de concentrateurs entre les connexions d'abonnés et l'artère à 155,520 Mbit/s reliant ces unités au commutateur central. Le système de transport sous-jacent est de type SDH.

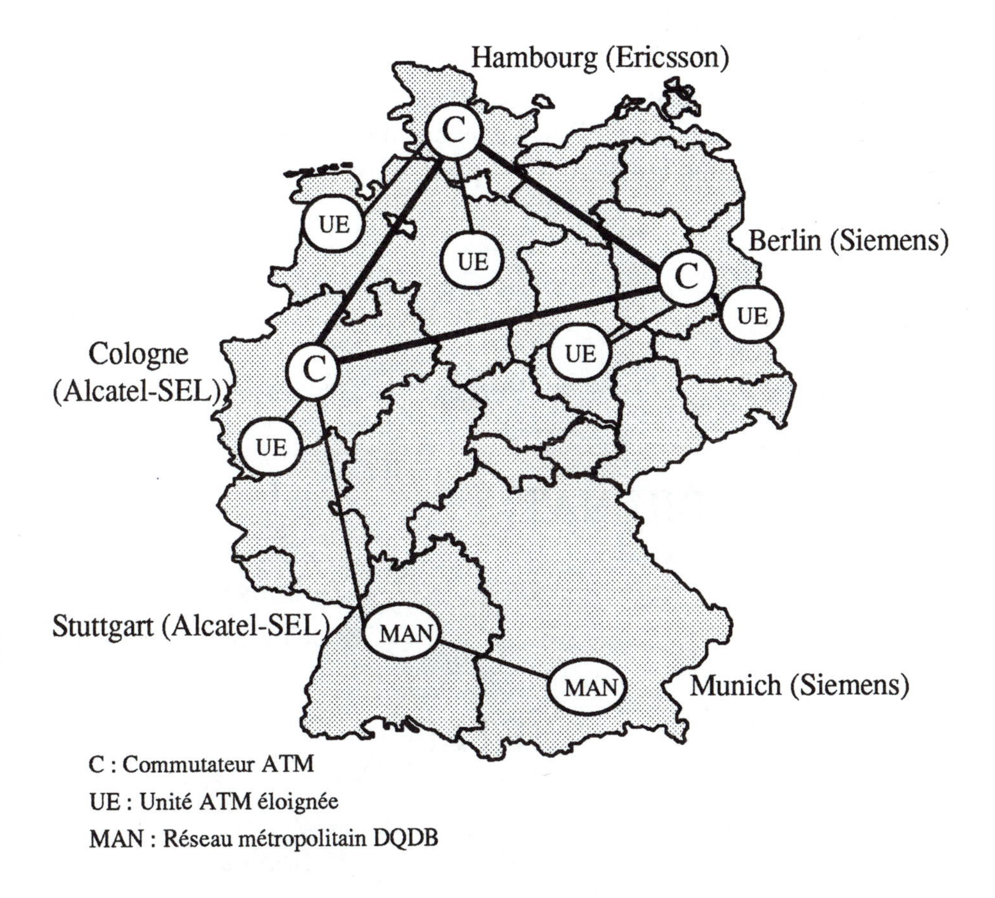

Figure 4.41 - Réseau ATM expérimental allemand

L'opérateur français, France Télécom, expérimente un réseau ATM (BREHAT) en collaboration avec TRT-Philips et Alcatel-CIT, qui fournissent deux types d'équipements : des multiplexeurs multi-service (TRT) et des brasseurs (Alcatel). Le multiplexeur multi-service placé chez l'abonné a pour rôle de concentrer les flux de trafic d'origines diverses sur des liaisons virtuelles ATM (trafic isochrone généré par un PBX et transmission de données en provenance d'équipements informatiques). Les brasseurs font partie de l'infrastructure du réseau de l'opérateur et établissent les routes virtuelles entre les abonnés du réseau. À noter aussi le projet BETEL, qui interconnecte par des liaisons à 34 Mbit/s quatre sites, l'IN2P3 à Lyon, l'EPFL à Lausanne, le CERN à Genève et EURECOM à Sophia-Antipolis, grâce à un brasseur ATM placé à Lyon (voir figure 4.42).

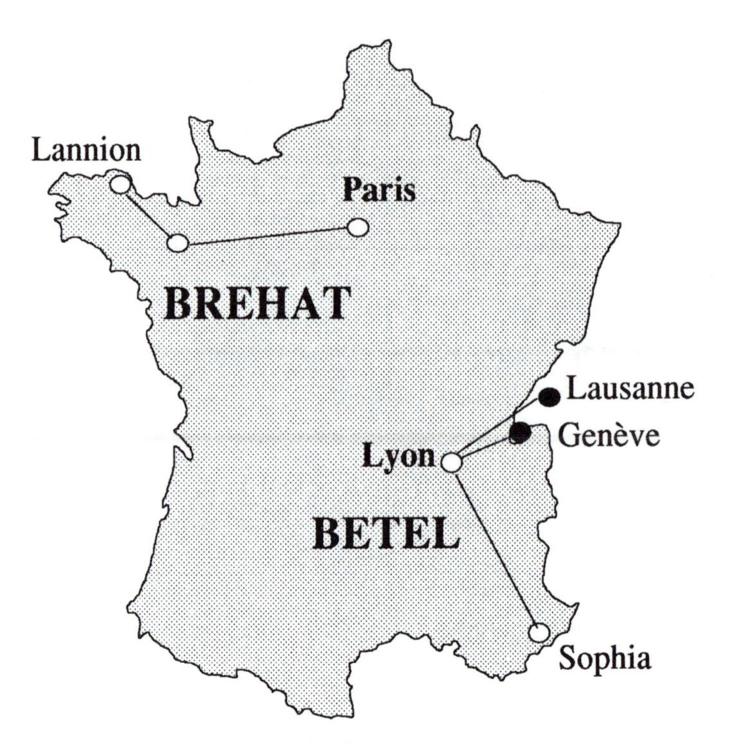

Figure 4.42 - Réseaux ATM expérimentaux français

De nombreux opérateurs européens, dont France Télécom, répartis dans 15 pays, ont signé un protocole d'accord pour interconnecter à 34 Mbit/s leurs expérimentations nationales dès juillet 1994, et ce pour une durée initiale d'un an. Ce projet a pour but de tester et de valider en vraie grandeur des services à haut débit, comme l'émulation de circuit, le relais de trames ou un service de transmission de données sans connexion.

CHAPITRE 5

ATM et réseaux locaux

5.1. Évolution des réseaux locaux

Après une décennie de croissance, les réseaux locaux conventionnels sont en pleine mutation sous la pression d'une demande accrue en capacité de transport. Le partage de la capacité du support, qui fonde la nature même de ces réseaux de type IEEE 802, est battue en brèche par l'accroissement des besoins individuels des stations connectées. À ce partage de la ressource de transport se substitue progressivement le concept d'une commutation centralisée. Corollairement, une topologie de câblage en étoile remplace progressivement les topologies logiques en bus et en anneau.

Une observation simple permet d'illustrer cette tendance : alors que la quantité de réseaux locaux est toujours en forte croissance, le nombre de stations par réseau local décroît. Cela indique que la capacité de transport offerte (4, 10 ou 16 Mbit/s selon le type) peut de moins en moins être partagée, parce que les stations consomment de plus en plus de bande passante. La limite extrême est atteinte lorsqu'il ne reste plus qu'une station par réseau local. Cette tendance alimente elle-même la croissance des réseaux locaux dans la mesure où, si le nombre de stations par réseau local diminue, il faut encore plus de réseaux locaux pour connecter une quantité croissante de stations.

Pour assurer l'interconnexion de ces réseaux locaux éclatés, ou segments, deux approches peuvent être envisagées :

- utiliser un autre réseau local à débit plus élevé, afin de fédérer les segments de réseaux locaux ;
- utiliser un commutateur centralisé.

La première solution prolonge le principe de partage des ressources et de commutation distribuée (FDDI, par exemple). Elle impose l'introduction régulière d'un nouveau réseau local aux performances suffisantes pour interconnecter les générations antérieures.

La seconde offre l'avantage de la centralisation et permet de connecter un grand nombre de stations et/ou de segments de réseaux locaux, quel que soit leur type, dans les limites de la capacité du commutateur. Contrairement aux technologies utilisées dans les réseaux de type IEEE 802, toutes construites autour d'une capacité maximum à partager, un commutateur centralisé fournit une capacité granulaire et virtuellement illimitée.

Cette dernière approche s'avère plus souple dans un environnement comportant un grand nombre de stations de plusieurs types dont les besoins en capacité vont croissant, alors que le partage des ressources de transport suppose une certaine stabilité de la demande, ainsi qu'un minimum d'homogénéité du parc. Ce retour à une commutation centralisée, pour les réseaux locaux, implique un choix en ce qui concerne la technologie de commutation. Tout semble indiquer que l'ATM soit le meilleur choix possible. Cette technologie, utilisée dans l'environnement local, a trouvé une structure d'accueil : le **concentrateur de câblage** ou *hub*.

Compte tenu de la forte demande pour interconnecter stations et segments de réseaux locaux, le domaine du développement rapide de la technologie ATM devrait être le réseau local d'établissement, bien avant les réseaux à longue distance.

Dans ce scénario, où le domaine privé devance le domaine public, l'utilisation d'une technologie ATM normalisée pose le problème de compétence en matière de normalisation. Le Forum ATM a été créé à cet effet par un certain nombre de constructeurs pour accélérer la disponibilité de normes qui servent d'abord les besoins du domaine privé, tout en restant compatibles avec celles en cours d'élaboration pour le domaine public.

Deux éléments vont jouer un rôle fondamental pour le développement des réseaux locaux ATM :

– la nature du câblage entre stations et concentrateur ;

– la capacité de faire travailler stations et concentrateur dans un mode inchangé du point de vue des applications.

Cette approche, appelée "émulation de réseau local d'établissement *(LAN emulation)*", permet de remplacer les interfaces conventionnelles de type IEEE 802 par des interfaces ATM sans perturber les applications existantes. Câblage et émulation de réseau local d'établissement vont être plus spécifiquement abordés dans les sections qui suivent.

5.2. Câblage d'établissement

Outre les fibres optiques, encore réservées aux débits très importants, et les paires coaxiales, dont l'utilisation a tendance à diminuer, les paires torsadées constituent l'essentiel des supports servant au câblage des établissements (voir figure 5.43).

Le raccordement téléphonique intérieur, par exemple autour d'un autocommutateur privé, est habituellement réalisé à l'aide de paires de qualité "voix", d'impédance proche de 100 ohms. Ces paires peuvent aussi, dans des conditions restrictives de distance, être utilisées pour la connexion de stations de données à un réseau local d'établissement. Le débit binaire maximal, sur une distance de 1 km, est d'environ 100 kbit/s.

Les transmissions de données s'effectuent plutôt sur des paires de qualité "données". Leur impédance caractéristique est en général proche de 150 ohms aux fréquences considérées ; elles peuvent être blindées (**STP**, *Shielded Twisted Pairs)* ou non (**UTP**, *Unshielded Twisted Pairs)* et les débits binaires atteignent plusieurs Mbit/s sur un kilomètre. Le blindage peut être réalisé, pour chaque paire d'un câble ou pour l'ensemble de celles-ci, à l'aide d'une sorte de tube métallisé très mince appelé écran, efficace aux fréquences élevées (plusieurs MHz). Il peut aussi mettre en oeuvre un tressage en fil de cuivre autour des paires : une telle tresse agit surtout aux fréquences basses, et peut donc être utilisée conjointement avec un écran.

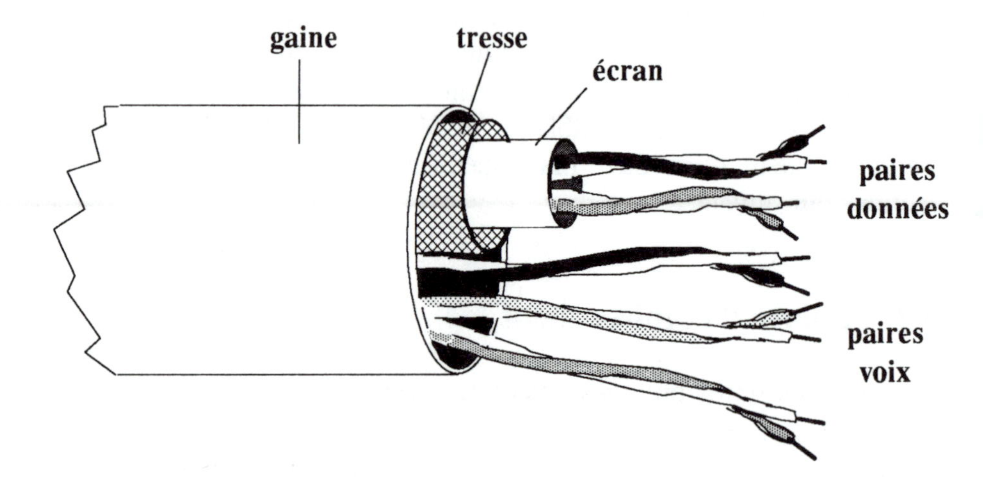

Figure 5.43 - Câble à paires métalliques

La réutilisation de paires de qualité UTP fréquemment utilisées dans les câblages d'établissement est un objectif souhaitable en vue de l'introduction sans rupture de la technologie ATM. Les débits de 155,520 ou 622,080 Mbit/s utilisés à l'accès usager-réseau pour les services à longue distance sont difficilement compatibles avec l'environnement de câblage UTP, et peu d'applications locales sont capables de justifier de tels débits. Des débits inférieurs sont donc proposés pour amener la technologie ATM jusqu'au poste de travail. Ainsi, une proposition est faite pour un débit d'accès à 25,6 Mbit/s : l'utilisation d'un code 4B/5B pour représenter l'information conduit à une rapidité de modulation de 32 Mbaud, soit l'équivalent d'un débit binaire de 16 Mbit/s associé à un codage Manchester ou Manchester différentiel. D'autres débits sont également proposés, notamment à 51,84 Mbit/s sur paire de qualité UTP et 100 Mbit/s, principalement sur fibre optique (voir page 108).

5.3. Émulation de réseaux locaux d'établissement

Afin de mieux cerner le rôle de la technologie ATM, il est bon de rappeler le principe des réseaux locaux d'établissement de type IEEE 802. Ils fournissent un support de communication à un ensemble d'équipements qui peuvent en partager la capacité grâce à un protocole d'accès. Ils sont principalement de deux types :

- bus à contention à 10 Mbit/s, conforme à la norme IEEE 802.3 (ISO 8802-3), constitué d'un câble coaxial ou de paires torsadées (10BaseT) ;
- anneau à jeton à 4 ou 16 Mbit/s (IEEE 802.5 ou ISO 8802-5), essentiellement basé sur une distribution par paires torsadées.

Les réseaux FDDI à 100 Mbit/s, également structurés en anneaux et utilisant des fibres optiques ou des paires torsadées, conviennent pour des stations à très haut débit, mais servent aussi à interconnecter des réseaux locaux conventionnels.

Contrairement à un bus, un anneau implique une prise active pour l'attachement de chaque station, et il convient de pouvoir en assurer la continuité lorsqu'une station est déconnectée. Cela peut se réaliser à l'aide de concentrateurs de câblage, qui incluent des relais capables d'isoler chaque station. De plus, ils permettent souvent la présence d'un anneau de secours qui participe, grâce à d'autres relais, à reconfigurer l'anneau en cas de coupure. La figure 5.44 montre qu'un tel câblage confère à l'anneau une structure arborescente.

De tels concentrateurs de câblage peuvent être également présents dans le cas de bus à contention, surtout de type 10BaseT. Dans tous les cas, ils rendent plus aisées les opérations d'installation et d'administration des stations connectées.

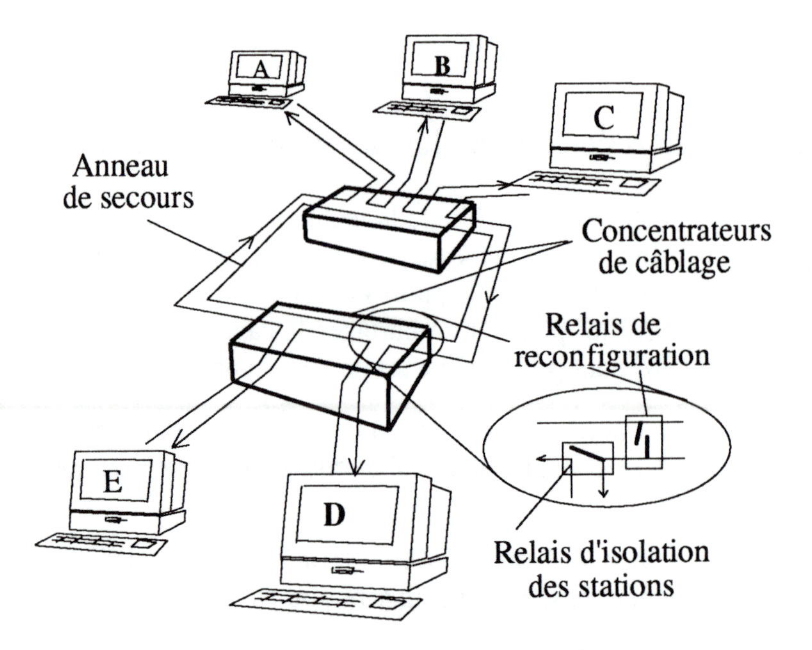

Figure 5.44 - Représentation logique et câblage physique d'un anneau

Diverses raisons peuvent amener à séparer un réseau local en plusieurs segments : demande en bande passante, limitation en distance, nombre de stations, débits différents... Ces segments sont généralement reliés par des unités d'interconnexion (ponts ou routeurs). La présence de concentrateurs de câblage est particulièrement adaptée à recevoir de telles fonctions d'interconnexion.

5.4. Concentrateur évolué

L'accroissement des fonctions réalisées par les concentrateurs de câblage en ont fait progressivement les pièces maîtresses des réseaux locaux *(intelligent hubs)* : c'est dans ces équipements qu'une fonction de commutation devient impérative quand le nombre de segments à interconnecter est trop important. Dans le cadre d'une telle commutation centralisée, il est intéressant de mentionner certaines solutions techniques hybrides : la bande passante d'un raccordement de type IEEE 802 est alors totalement dédiée à une seule station, la commutation des trames MAC étant réalisée dans les concentrateurs. Une autre approche consiste à choisir la technologie de commutation ATM, capable de satisfaire les applications de données ainsi que les applications multimédias ou de vidéo interactive. Ce choix présente l'avantage supplémentaire de la compatibilité technologique avec les réseaux à longue distance.

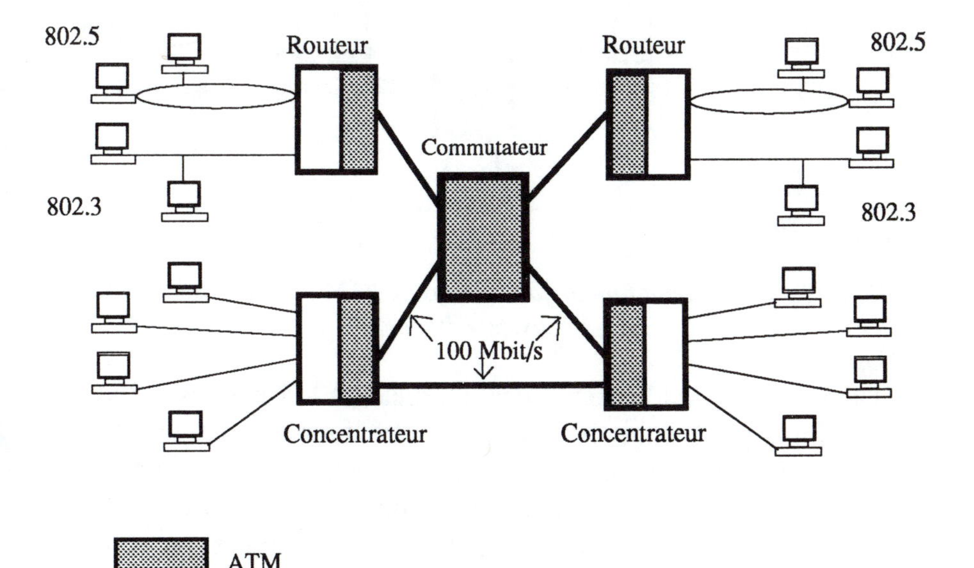

Figure 5.45 - Introduction de la technologie ATM dans le réseau local, première étape

Comme l'indique la figure 5.45, dans un premier temps, le commutateur ATM interconnecte des segments compatibles entre eux pour donner l'image d'un réseau local continu n'ayant pas subi de segmentation. Sur chaque segment, les stations continuent de travailler dans leur mode, IEEE 802.5 par exemple. Les concentrateurs évolués peuvent être connectés entre eux en mode ATM au travers d'une interface à 100 Mbit/s utilisant la couche physique FDDI (voir page 43).

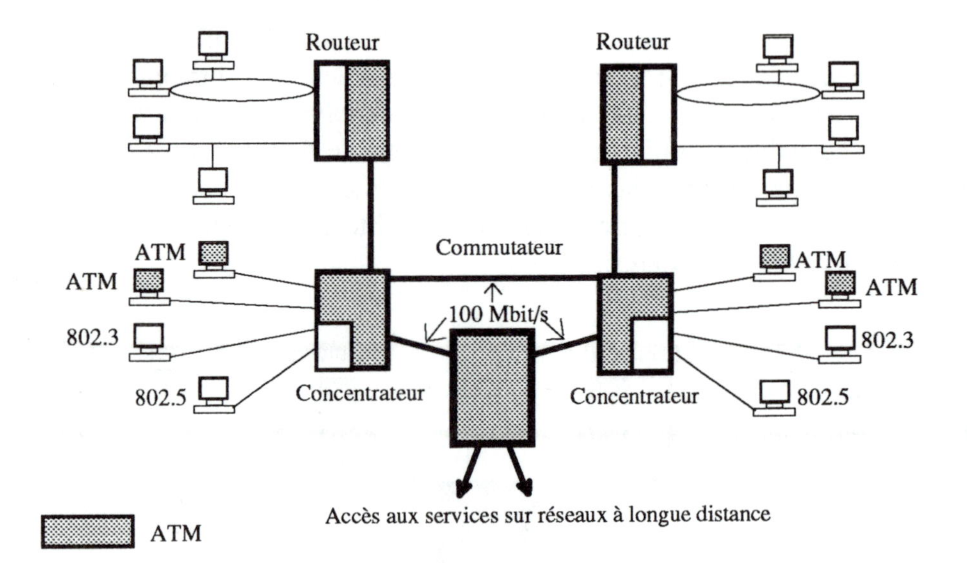

Figure 5.46 - Introduction de la technologie ATM dans le réseau local, deuxième étape

Dans une phase ultérieure, des interfaces ATM natives à 25,6 ou 51,84 Mbit/s (voir page 105) peuvent être fournies par le concentrateur évolué pour connecter des stations travaillant en mode ATM. Cette dernière configuration correspond alors à un réseau local ATM. Le scénario évolutif illustré par la figure 5.46 impose un comportement transparent du concentrateur vis-à-vis des applications résidant dans les stations qui lui sont connectées et ce, quel que soit leur mode opératoire : IEEE 802 ou ATM. Ce type d'interconnexion fait appel à une fonction de routage placée dans le concentrateur évolué. Cette dernière assure le routage des trames MAC sur des liaisons virtuelles ATM.

L'ATM ne fournit pas de mécanisme explicite de contrôle de flux, dans la mesure où la bande passante nécessaire au transfert doit être réservée *a priori*. Ce principe est contradictoire avec le mode opératoire en vigueur sur les réseaux locaux actuels, qui fonctionnent sur le principe *"best effort"*, sans connaissance préalable de la capacité requise. Ce principe doit être préservé dans l'hypothèse d'une transition sans rupture qui protège les investissements applicatifs.

Un mécanisme simple de contrôle de flux doit être introduit pour éviter un dimensionnement exagéré des capacités de transfert, afin de ne pas engorger le réseau. Ce mécanisme s'apparente à la signalisation de congestion utilisée dans les commutateurs ATM (voir page 79). Il faut souligner l'absolue nécessité de ce mécanisme, car la perte d'une cellule pour cause de congestion affecte une unité de données de taille beaucoup plus importante, pouvant atteindre plusieurs milliers d'octets. C'est donc l'ensemble des cellules appartenant à cette unité de données qu'il faut renvoyer en cas de perte d'une seule cellule consécutive à un engorgement.

Un signal explicite de contrôle de flux permet de résoudre ce problème et de préserver le principe des réseaux locaux : l'accès à la capacité totale de transfert, pour chaque utilisateur, sans avoir à prédéterminer une capacité contractuelle contraignante. Un signal de congestion permet l'arrêt du transfert des cellules sous le contrôle du noeud de commutation ATM. Il est accompagné d'un signal de reprise. Le contrôle de congestion peut être sélectif et ne s'appliquer qu'à une connexion virtuelle donnée ; il peut être global et affecter la totalité des connexions virtuelles existantes au travers d'une interface déterminée. Ce principe implique le choix entre deux modes opératoires pour toute connexion virtuelle :

– les connexions travaillant en mode réservé, fondé sur un contrat explicite de capacité ;

– les connexions fonctionnant en mode *best effort*, basé sur l'absence de tout contrat, et nécessitant un mécanisme explicite de contrôle de flux.

ANNEXE

Normalisation d'ATM

CCITT

Le CCITT (Comité consultatif international télégraphique et téléphonique) constitue l'un des organismes de normalisation de l'UIT (Union internationale des télécommunications). Ses membres sont les représentants des pays de l'UIT (France Télécom pour la France), ainsi que certaines organisations scientifiques et industrielles. Il convient de noter que le CCITT se nomme à présent **TSS** *(Telecommunication Standardization Sector)*.

Le travail de normalisation au CCITT est défini lors des assemblées plénières réunies tous les quatre ans. Il est alors réalisé dans des groupes de travail (**SG**, *Study Groups)* eux-mêmes constitués de groupements appelés **WP** *(Working Parties)*. Les activités relatives à ATM concernent le groupe SG XVIII *(Digital Networks Including ISDN)* et plus spécialement le groupement WP 8 en charge du RNIS à large bande. Les documents du CCITT portent le nom d'Avis. Les premiers d'entre eux concernant ATM ont été approuvés en 1988 : il s'agit des Avis I.113 *(Vocabulary of Terms)* et I.121 *(Broadband Aspects of ISDN)*.

Le CCITT a défini ATM comme le mode de transfert cible pour le RNIS à large bande. De nombreux Avis relatifs à ATM ou au RNIS à large bande sont approuvés ou près de l'être, les principaux étant énumérés ci-dessous :

- I.113 *Vocabulary of Terms ;*
- I.121 *Broadband Aspects of ISDN ;*
- I.150 *ATM Functional Characteristics ;*
- I.211 *Service Aspects ;*
- I.311 *General Network Aspects ;*
- I.321 *Protocol Reference Model ;*
- I.327 *Network Functional Architecture ;*
- I.35B *ATM Layer Performance Aspects ;*
- I.361 *ATM Layer Specification ;*
- I.362 *AAL Functional Description ;*
- I.363 *AAL Specification ;*
- I.364 *Support of Broadband Connectionless Data ;*
- I.371 *Traffic Control and Resource Management ;*
- I.413 *User-Network Interface (UNI) ;*
- I.432 *UNI Physical Layer Specification ;*
- I.555 *Frame Relay Interworking ;*
- I.610 *OAM Principles of B-ISDN Access ;*
- Q.142x *Metasignaling ;*
- Q.761/7 *NNI Signaling ;*
- Q.93B *UNI Signaling ;*
- Q.SAAL *AAL for Signaling ;*
- F.811 *Service Description Connection Oriented Data ;*
- F.812 *Service Description Connectionless Data.*

ANSI

Comme l'AFNOR en France, l'**ANSI** *(American National Standards Institute)* est, aux Etats-Unis, l'organisme national de normalisation. Son champ d'activité est très vaste et, pour chaque domaine, il délègue son autorité à un organisme approprié. L'**ECSA** *(Exchange Carriers Standards Association)* est ainsi accréditée pour le domaine des télécommunications.

Le comité T1 de l'ANSI est en charge des télécommunications. C'est, en particulier, de ce comité qu'ont été issues les normes relatives à **SONET** *(Synchronous Optical NETwork)* selon une proposition de **Bellcore** *(Bell Communications Research)*. Le groupe technique T1S1 est plus particulièrement concerné par les réseaux à haut débit.

Les normes concernant le RNIS à large bande (voir la liste ci-après) sont le plus souvent équivalentes aux Avis du CCITT :

- T1.105 *Synchronous Optical Network ;*
- T1E1.2/92-020 *UNI PMD Specifications ;*
- T1S1/92-185 *UNI Rates and Formats ;*
- T1S1.5/92-002 *ATM Layer Specifications ;*
- T1S1.5/92-003 *AAL 3/4 Common Part ;*
- T1S1.5/92-004 *AAL for CBR (Class A) Services ;*
- T1S1.5/92-005 *Support of Connectionless Services ;*
- T1S1.5/92-006 *Services Baseline Document ;*
- T1S1.5/92-007 *Generic flow control (GFC) ;*
- T1S1.5/92-008 *VBR AAL Service Specific Part ;*
- T1S1.5/92-009 *Traffic and Resource Management ;*
- T1S1.5/92-010 *AAL 5 Common Part ;*
- T1S1.5/92-029 *OAM Aspects (Technical Report) ;*
- T1S1.5/92-xxx *AAL Architecture for Class C/D and Signaling.*

Le comité X3 de l'ANSI, en charge des réseaux et interfaces informatiques, est également très impliqué dans la normalisation d'ATM. Son sous-groupe X3T9.5 a promu la norme FDDI ; de même, les documents relatifs à **HIPPI** *(HIgh Performance Parallel Interface)* et à FCS sont issues du sous-groupe X3T9.2.

IEEE

Cette organisation *(Institute of Electrical and Electronics Engineers)* est bien connue pour ses normes relatives aux réseaux locaux d'établissement, dans le cadre du Projet 802. Au sein de son groupe 802.6, l'IEEE a aussi normalisé le protocole DQDB pour les réseaux métropolitains : il met en oeuvre des cellules de même taille que les cellules ATM. Par ailleurs, le groupe 802.9, en charge de la connexion des terminaux aux réseaux locaux ou à longue distance, est également intéressé par les travaux sur ATM.

Forum ATM

Le Forum ATM a été créé en 1991, avec l'objectif d'accélérer le déploiement de la technique ATM dans les réseaux privés, en capitalisant sur les normes existantes ou en les enrichissant. Il regroupe à ce jour plus de 300 constructeurs.

Les spécifications du Forum ATM *(ATM UNI Specification)* concernent des connexions virtuelles permanentes et définissent une interface de gestion *(Interim Local Management Interface)*. Ces spécifications couvrent les cas suivants :

– réseau public, interface OC-3 (155 Mbit/s) ;
– réseau public, interface DS-3 (45 Mbit/s) ;
– réseau privé, interface à 100 Mbit/s de type FDDI ;
– réseau privé, interface à 155 Mbit/s de type FCS.

ETSI

L'**ETSI** *(European Telecommunication Standards Institute)* a pour objet de constituer des normes européennes appelées **ETS** *(European Telecommunication Standards)*. Dans la mesure du possible, ces documents utilisent pour base les normes existantes (du CCITT, par exemple) et, une fois approuvés, ils sont applicables dans l'ensemble des pays membres de l'ETSI. La liste suivante donne la correspondance entre les Avis du CCITT et les normes approuvées à ce jour par les membres de l'ETSI :

- ETS 300.298 ⇒ I.361 *ATM Layer Specification ;*
- ETS 300.299 ⇒ I.362 *AAL Functional Description ;*
- ETS 300.300 ⇒ I.363 *AAL Specification ;*
- ETS 300.301 ⇒ I.432 *UNI Physical Layer Specification.*

BIBLIOGRAPHIE

ARMBRUSTER (H.)
The Flexibility of ATM
Proceedings of the ATM conference (Paris, avril 1993)

BOISSEAU (M.), DEMANGE(M.), MUNIER (J.-M.)
Réseaux haut débit
Eyrolles, 1992

COUDREUSE (J.-P.) *et al*
Spécial ATM
L'Echo des recherches n° 144/145, 1991

DE PRYCKER (M.)
Asynchronous Transfer Mode :
Solution for Broadband ISDN
Ellis Horwood Ltd., 1990

HANDEL (R.), HUBER (M.N.)
Integrated Broadband Networks :
An Introduction to ATM-based Networks
Addison Wesley, 1991

MACCHI (C.), GUILBERT (J.-F.)
Téléinformatique
Dunod, 1987

NUSSBAUMER (H.)
Téléinformatique (2 tomes)
Presses Polytechniques Romandes, 1988

PUJOLLE (G.)
Télécommunications et réseaux
Eyrolles, 1992

TANENBAUM (A.)
Réseaux - Architectures, protocoles, applications
InterEditions, 1990

INDEX THÉMATIQUE

INDEX DES ABRÉVIATIONS ANGLAISES

Imprimé en France. - JOUVE, 18, rue Saint-Denis, 75001 PARIS
N° 214369D. - Dépôt légal : Décembre 1993
N° d'éditeur : 5643

M. Boisseau M. Demange J.-M. Munier

RÉSEAUX ATM

À l'heure où les progrès technologiques rendent possibles les applications multimédias et la constitution de réseaux à des débits très élevés, le présent ouvrage se propose de décrire les principes techniques du mode de transfert **ATM** (Asynchronous Transfer Mode), qui allie les avantages de la commutation de circuits et de la commutation par paquets. Cette technologie sera présente aussi bien dans les réseaux à longue distance que dans les réseaux locaux d'établissement.

D'approche délibérément didactique, **Réseaux ATM** aborde successivement :

- les raisons techniques du choix de ce mode de transfert ;
- les commutateurs ATM et leur spécificité ;
- l'introduction de la technique ATM dans le Réseau Numérique à Intégration de Services (RNIS) à large bande ;
- son utilisation dans le cadre des réseaux locaux d'établissement.

Ce livre permet à tout professionnel ou étudiant (écoles d'ingénieurs, maîtrises ou DEA en informatique...) d'aborder efficacement ces sujets d'actualité.

*Les auteurs, **Marc BOISSEAU, Michel DEMANGE** et **Jean-Marie MUNIER**, ingénieurs à la Compagnie IBM France, contribuent à divers titres au développement et à la mise en œuvre de réseaux ATM. Ils enseignent également la téléinformatique, au sein comme à l'extérieur de leur entreprise.*

ISBN 2-212-08811-6